La memoria

717

LE INDAGINI DEL COMMISSARIO MONTALBANO

DELLO STESSO AUTORE

Andrea Camilleri

La pista di sabbia

Sellerio editore
Palermo

2007 © *Sellerio editore via Siracusa 50 Palermo*
e-mail: info@sellerio.it
www.sellerio.it
2007 *maggio terza edizione*

Camilleri, Andrea <1925>

La pista di sabbia / Andrea Camilleri. Palermo : Sellerio, 2007.
(La memoria ; 717)
EAN 978-88-389-2216-9.
853.914 CDD-21

CIP - *Biblioteca centrale della Regione siciliana «Alberto Bombace»*

La pista di sabbia

Uno

Raprì l'occhi e di subito li richiuì.

Da tempo gli accapitava 'sta specie di rifiuto dell'arrisbiglio, che non era per prolungare qualichi sogno piacevole che oramà gli capitava di fari sempri cchiù raramenti, no, era pura e semprici gana di restare ancora tanticchia dintra al pozzo scuro, profunno e càvudo del sonno, ammucciato propio in funno in funno, indove sarebbi stato impossibile che qualichiduno l'attrovasse.

Ma sapiva d'essiri irrimediabilmente vigliante. Allura, sempre con l'occhi 'nserrati, si misi ad ascutari il rumore del mare.

Quella matina era una rumorata leggia leggia, squasi un fruscio di foglie, che s'arripitiva sempri uguali, signo che la risacca nel sò avanti e narrè mantiniva un respiro tranquillo. Epperciò la jornata doviva essiri bona, senza vento.

Raprì l'occhi, taliò il ralogio. Le sette. Fici per susirisi e in quel momento gli tornò a mente che aviva fatto un sogno del quale arricordava sulo come delle immagini confuse e staccate tra loro. Una magnifica scusa per ritardare tanticchia la susuta. Si stinnicchiò novamenti e richiuì l'occhi, tentando di mettiri in sequenza quei fotogrammi sparpagliati.

La pirsona che gli stava allato in una speci di grannissima spianata erbosa era 'na fìmmina, ora capiva che era Livia ma non era Livia, in quanto aviva la facci di Livia, ma il corpo era troppo grosso, sformato da un paro di natiche tanto enormi che la fìmmina faticava a caminare.

Del resto macari lui si sintiva stanco come doppo 'na longa passiata, per quanto non s'arricordava da quanto tempo erano 'n camino.

Allura le spiò:

«Ci vuole molto?».

«Ti sei già stancato? Nemmeno un bambino si stancherebbe così presto! Siamo quasi arrivati».

La voci non era quella di Livia, era sgraziata e troppo acuta.

Ficiro ancora un centinaro di passi e s'attrovaro davanti a un cancello di ferro battuto, aperto. Oltre il cancello continuava lo spiazzo erboso.

Che ci stava a fari quel cancello se a perdita d'occhio non si vidiva né una strata né 'na casa? Lo voliva spiare alla fìmmina, ma non lo fici per non risintiri la sò voci.

L'assurdità di passari attraverso a un cancello che non sirviva a nenti e non portava a nisciun posto gli parse talmente riddicola che fici un passo di lato per aggirarlo.

«No!» gridò la fìmmina. «Che fai? Non è permesso! I signori si possono irritare!».

La voci fu accussì acuta che a momenti gli spirtusava i timpani. Ma di quali signori parlava? Comunque obbedì.

Appena passato il cancello, il paesaggio cangiò, addivintanno un campo di corse, un ippodromo con la pista. Ma non c'era manco uno spettatore, le tribune erano vacanti.

Allura s'addunò che aviva gli stivali con gli speroni al posto delle scarpe e che era vistuto priciso 'ntifico come un fantino. Sutta il vrazzo aviva macari un frustino. Matre santa, che volivano da lui? Mai, in vita sò, era acchianato supra a un cavaddro! O forse sì, quanno aviva deci anni e sò zio l'aviva portato in una campagna indove...

«Montami» disse la voci sgraziata.

Si voltò a taliare la fìmmina.

Non era cchiù fìmmina, ma squasi un cavaddro. Si era mittuta a quattro zampe, ma gli zoccoli alle mano e ai pedi erano chiaramente finti, fatti d'osso, tant'è vero che li tiniva 'nfilati ai pedi come se erano pantofole.

Aviva sella e briglie.

«Montami, dai» arripitì.

Lui montò e quella partì al galoppo che parse un furgarone. Putupum, putupum putupum...

«Ferma! Ferma!».

Ma quella si misi a curriri cchiù forte. A un certo momento s'attrovò caduto 'n terra, col pedi mancino 'mpigliato nella staffa e la cavaddra che nitriva, no, arridiva arridiva arridiva... Po' la cavaddra-fìmmina di

11

colpo sgonocchiò supra le zampe anteriori con un nitrito e lui 'mprovisamente libero, sinni scappò.

Non arriniscì ad arricordarisi altro, manco sforzannosi. Raprì l'occhi, si susì, annò alla finestra, spalancò le persiane.

E la prima cosa che vitti fu un cavaddro, stinnicchiato di fianco supra la rina, immobile.

Per un momento strammò. Pinsò di stari continuanno a sognare. Po' accapì che la vestia supra la rina era reale. Ma come mai quel cavaddro era vinuto a moriri davanti alla sò casa? Sicuramente, quanno era caduto, doviva aviri fatto un debole nitrito, bastevole a fargli inventare, nel sonno, il sogno della fimmina-cavaddro.

Si sporgì dalla finestra per vidiri meglio. Non c'era anima criata, il piscatore che ogni matina dai paraggi si partiva con la varcuzza era oramà un puntino nìvuro al largo. Supra la parte dura della rina, quella cchiù vicina al mare, gli zoccoli del cavaddro avivano lassato 'na serie d'impronte delle quali non si vidiva il principio.

Era vinuto da lontano, il cavaddro.

S'infilò alla lesta i cazùna e 'na cammisa, raprì la porta-finestra e dalla verandina scinnì nella spiaggia.

Quanno fu vicino all'armàlo e lo taliò, vinni assugliato da una botta di raggia incontenibile.

«Bastardi!».

La vestia era tutta 'nsanguliata, gli avivano spaccato la testa con qualichi spranga di ferro, ma tutto il corpo portava i segni di una vastoniatura longa e feroci, qua e là c'erano profunne ferite aperte, pezzi di carne che pinnuliavano. Era chiaro che a un certo momento il cavaddro, martoriato come s'attrovava, era arrinisciuto lo stisso a scappari e si era mittuto a curriri alla disperata fino a quanno non ce l'aviva fatta cchiù.

Era accussì arraggiato e sdignato che se avesse avuto tra le mano uno di quelli che avivano ammazzato il cavaddro, gli avrebbe fatto fari la stissa fine. Si misi a seguire le orme.

Ogni tanto s'interrompivano e al loro posto supra la rina c'erano i segni che la povira vestia era sgonocchiata, inginocchiandosi con le zampe di davanti.

Caminò per squasi tri quarti d'ora e finalmenti arrivò nel loco indove avivano massacrato il cavaddro.

La superficie della rina qui, per il violento trippistio che c'era stato, aviva formato come 'na speci di pista da circo ed era segnata da orme di scarpe che si sovrapponevano e dai segni degli zoccoli. Sparsi torno torno c'erano macari 'na corda longa e spezzata, quella con la quale avivano tinuto la vestia, e tri spranghe di ferro macchiate di sangue asciucato. Accomenzò a contare le impronte delle scarpe e non fu 'na cosa facile. Arrivò alla conclusione che ad ammazzare il cavaddro erano state massimo quattro pirsone. Ma altre dù avivano presenziato allo spettacolo stannosene ferme ai bordi della pista e ogni tanto fumannosi qualichi sicaretta.

Tornò narrè, trasì 'n casa e chiamò il commissariato. «Pronti? Questo è il...».

13

«Catarella, Montalbano sono».

«Ah dottori! Vossia è? Che fu, dottori?».

«C'è il dottor Augello?».

«Ancora manchevole è».

«Se c'è Fazio, fammici parlare».

«Subitissimo, dottori».

Non passò manco un minuto.

«Dottore, mi dica».

«Senti, Fazio, vieni subito qui da me a Marinella, e, se ci sono, portati Gallo e Galluzzo».

«C'è cosa?».

«Sì».

Lassò aperta la porta di casa e si fici 'na longa passiata a ripa di mari. La barbara ammazzatina di quella povira vestia gli aviva fatto nasciri 'na raggia surda e violenta. Tornò vicino al cavaddro. S'acculò per taliarlo cchiù da vicino. L'avivano sprangato macari supra la panza, forsi mentre la vestia s'impennava. Po' s'addunò che uno dei ferri era praticamente staccato dallo zoccolo. Si mise a panza 'n terra, allungò un vrazzo e lo toccò. Era tinuto sulo da un chiovo che per mità era nisciuto fora dallo zoccolo. Fazio, Gallo e Galluzzo arrivarono in quel momento, s'affacciarono dalla verandina, vittiro al commissario, scinnero supra la spiaggia. Taliaro il cavaddro e non ficiro dimanne.

Sulo Fazio commentò:

«Ce n'è genti fitusa al munno!».

«Gallo, ce la fai a portare la macchina fino a qua e poi farla caminare a ripa di mare?» spiò Montalbano.

Gallo fici un surriseddro di superiorità.

«E che ci vuole dottore?».

«Galluzzo, vai con lui. Dovete seguire le orme del cavaddro. Vi addunerete senza possibilità di dubbio indove hanno fatto la mattanza. Ci sono spranghe di ferro, cicche, e forse altre cose. Vedete voi. Raccogliete tutto con quatela, voglio far rilevare le impronte digitali, il Dna, tutto quello che ci abbisogna per capire chi erano 'sti farabutti».

«E poi che facciamo? Li denunziamo alla protezione animali?» spiò Fazio mentre i dù si partivano.

«Pirchì, tu pensi che questa facenna finisce qua?».

«No, non lo penso. Ho solo voluto dire 'na battuta».

«A mia non mi pare 'na cosa da ridirci. Pirchì l'han no fatto?».

Fazio fici la facci dubitativa.

«Dottore, può essere uno sfregio al proprietario».

«Può essere. E basta accussì?».

«Nonsi. C'è 'na cosa cchiù probabile. Avevo inteso dire...».

«Che cosa?».

«Che da qualichi tempo a Vigàta fanno corse clandestine».

«Tu pensi perciò che l'ammazzatina del cavaddro possa essiri la conseguenza di qualichi cosa capitata in quell'ambiente?».

«E che può essiri di diverso? Non dobbiamo fare altro che aspettare la conseguenza della conseguenza che di sicuro ci sarà».

«Ma forsi se arrinisciamo a prevenirla, la conseguenza, è meglio, no?» disse Montalbano.

«Sarebbe meglio, certo, ma sarà difficile».

«Beh, cominciamo col dire che prima d'ammazzarlo il cavaddro devono averlo arrubbato».

«Dottore, vuole babbiare? Nisciuno verrà a fare la denunzia dell'arrubbatina del cavaddro. Sarebbe come venire da noi e dire: io sono uno degli organizzatori delle corse clandestine».

«È un affare grosso?».

«Parlano di milioni e milioni di euri di scommisse».

«E cu c'è darrè?».

«Fanno il nome di Michilino Prestia».

«E chi è?».

«Un cinquantino fissa, dottore. Che fino all'anno passato faciva il contabile in una imprisa di costruzione».

«Ma questa non mi pari cosa di contabili fissa».

«Certo, dottore. E infatti Prestia è un prestanome».

«Di chi?».

«Non si sa».

«Dovresti cercare di saperlo».

«Cercherò».

Trasuti in casa, Fazio annò in cucina a priparari il cafè e Montalbano chiamò il comune per avvertire che nella pilaja di Marinella c'era la carcassa di un cavaddro.

«È suo il cavallo?».

«No».

«Parliamoci chiaro, egregio signore».

«Perché, come sto parlando? Scuro?».

«No, è che certuni dicono che la bestia morta non è di loro proprietà per non pagare la tariffa di rimozione».

«Le ho detto che non è mio».

«Crediamoci. Sa di chi è?».

«No».

«Crediamoci. Sa di che è morto?».

Montalbano si tirò il paro e lo sparo e addecidì di non contare nenti all'impiegato.

«Non lo so, ho visto la carcassa dalla mia finestra».

«Quindi non ha assistito alla morte».

«Evidentemente».

«Crediamoci» disse l'impiegato.

E a questo punto si misi a canticchiare «Tu che a Dio spiegasti l'ali».

Canto funebre per il cavallo? Gentile omaggio dell'amministrazione comunale come partecipazione al lutto?

«Beh?» fici Montalbano.

«Stavo riflettendo» disse l'impiegato.

«E che c'è da riflettere?».

«A chi compete il prelevamento della carcassa».

«Non compete a voi?».

«Competerebbe a noi se si tratta di un articolo 11, ma se invece si tratta di un articolo 23 compete all'ufficio provinciale d'igiene».

«Senta, dato che sino ad ora mi ha sempre creduto, continui a credermi, la prego. Le assicuro che o ve la portate via entro un quarto d'ora o io vi...».

«Ma chi è lei, scusi?».

«Il commissario Montalbano sono».

Il tono dell'impiegato cangiò di colpo.

«È un articolo 11, sicuramente, commissario».

A Montalbano vinni gana di garrusiare.

«Quindi spetta a voi ritirarla?».

«Certo».

«Sicuro sicuro?».

L'impiegato si squietò.

«Perché mi domanda se…».

«Non vorrei che quelli dell'ufficio provinciale d'igiene se la pigliassero a malo. Sa come sono queste storie di competenze… Lo dico per lei, non vorrei che…».

«Non si preoccupi, commissario. È un articolo 11. Tra mezzora verrà qualcuno, stia tranquillo. Ossequi».

Si vippiro il cafè in cucina aspittanno che tornavano Gallo e Galluzzo. Po' il commissario si fici la doccia, la varba, si vistì cangiannosi cazùna e cammisa che si erano allordati, e quanno tornò nella càmmara di mangiare vitti a Fazio che parlava nella verandina con dù òmini vistuti come astronauti scinnuti allura allura da 'na navicella spaziale.

Supra la pilaja c'era un camioncino Fiorino con le portiere posteriori chiuse. Il cavaddro non si vidiva cchiù, l'avivano di certo carricato.

«Dottore, può venire un momento?» disse Fazio.

«Eccomi. Buongiorno».

«Bongiorno» disse uno dei dù astronauti.

L'altro si limitò a taliarlo malamente al di supra della mascherina.

«Non trovano la carcassa» disse Fazio 'mparpagliato.

«Come non…» fici Montalbano strammato. «Ma se era qua davanti!».

«Abbiamo guardato dovunque e non l'abbiamo vista» disse il più socievole dei dù.

«Che è stato, uno sgherzo? Aviti gana di divertimento?» spiò minazzoso l'altro.

«Qui nessuno scherza» disse Fazio al quale stavano principianno a firriare i cabasisi. «E stai attento a come parli».

L'altro raprì la vucca per arrispunniri, po' se la pinsò e la richiuì.

Montalbano scinnì dalla verandina e annò a taliare indove prima c'era la carcassa. Gli altri lo seguirono.

Supra la rina ora si vidivano un cinco o sei orme diverse di scarpe e le dù strisce parallele delle rote di un carretto spaiato.

Intanto i dù astronauti acchianarono nel camioncino e sinni partero senza salutare.

«Se lo sono arrubbato mentre ci pigliavamo il cafè» fici il commissario. «L'hanno caricato supra un carretto a mano».

«Dalle parti di Montereale, a circa tri chilometri da qua, ci sono una decina di baracche di extracomunitari» disse Fazio. «Stasira faranno festa, mangeranno carne di cavallo».

In quel momento vittiro la loro machina che stava tornanno.

«Abbiamo pigliato tutto quello che abbiamo trovato» disse Galluzzo.

«E che avete trovato?».

«Tre spranghe, un pezzo di corda, unnici muzzuna di sicarette di dù marche diverse e un accendino Bic vacante» disse ancora Galluzzo.

«Facciamo accussì» disse Montalbano. «Tu, Gallo,

vai alla Scientifica e dagli le spranghe e l'accendino. Tu, Galluzzo, pigliati la corda e le cicche e me le porti in ufficio. Grazie di tutto, ci vediamo in commissariato. Devo fari 'na para di telefonate private».

Gallo parse dubitoso.

«Che c'è?».

«Che devo addimannare alla Scientifica?».

«Che rilevino le impronte digitali».

Gallo addivintò ancora cchiù dubitoso.

«E se mi spiano che è successo, che gli dico? Che stiamo facenno un'indagine supra un cavaddro ammazzato? Fora a càvuci 'n culu, mi jettano!».

«Digli che c'è stata una rissa con diversi feriti e che dobbiamo identificare gli aggressori».

Restato sulo, tornò in casa, si levò la scarpe e le quasette, si rimboccò i cazùna e scinnì novamenti in spiaggia.

'Sta storia degli extracomunitari che si erano arrubbato il cavaddro per mangiarisillo non lo pirsuadiva per nenti. Quanto tempo erano ristati in cucina, lui e Fazio, a vivirisi il cafè e a chiacchiariari? Massimo una mezzorata.

E in una mezzorata gli extracomunitari avivano avuto il tempo di addunarisi del cavaddro, curriri nelle loro baracche a tri chilometri di distanza, procurarsi un carretto, tornari narrè, carricare la vestia e purtarisilla?

Non sarebbe stato possibile.

A meno che non si erano addunati della carcassa di prima matina, avanti che lui aprisse la finestra, e po', quanno erano tornati col carretto, avivano visto a lui vicino al cavaddro e si erano ammucciati nelle vicinanze aspittanno il momento giusto.

A 'na cinquantina di metri i solchi delle rote facivano 'na curva e s'addiriggivano verso terra, indove ci stava una spianata di cemento tutta crepi crepi che il commissario aviva sempri viduta accussì da quanno era arrivato a Marinella. Dalla spianata si potiva agevolmente accedere alla strata provinciale.

«Un momento» si disse. «Ragioniamo».

Certo, gli extracomunitari sulla provinciale avrebbero potuto caminare meglio col carretto, e cchiù di prescia, che non supra la rina. Ma gli conveniva farisi vidiri da tutte le machine che passavano dalla provinciale? E se tra queste machine ce n'era una della polizia o dell'Arma?

Sicuramente sarebbero stati fermati e avrebbero dovuto arrispunniri a 'na quantità di dimanne. E capace che ci scappava il foglio di rimpatrio.

No, non erano accussì scemi.

Allura?

C'era un'altra spiegazione possibile.

E cioè che quelli che avivano arrubbato la carcassa non erano extra, ma più che comunitari, vale a dire vigàtesi.

O dei dintorni.

E pirchì l'avivano fatto? Per recuperare la carcassa e farla scompariri.

Forse la facenna era annata accussì: il cavaddro arrinesci a scappari e qualichiduno l'insegue per finirlo.

Ma è costretto a fermarsi pirchì ci sono pirsone supra la pilaja, macari il piscatore matutino, che possono addivintari testimoni perigliosi. Torna narrè e avverte il capo. Questi addecide che la carcassa deve essere assolutamente ricuperata. E organizza la facenna del carretto. Ma a un certo momento lui, Montalbano, s'arrisbiglia e gli scassa i cabasisi.

Quelli che avivano arrubbato il cavaddro erano gli stissi che l'avivano ammazzato.

Sì, doviva essiri annata propio accussì.

E sicuramente sulla provinciale, all'altizza della spianata, ci stava un camioncino pronto a carricare cavaddro e carretto.

No, gli extracomunitari non ci trasivano nenti.

Due

Galluzzo posò supra la scrivania del commissario un sacchetto granni indove c'era la corda e uno cchiù nico indove c'erano i muzzuna di sicarette.

«Hai detto che erano di due marche?».

«Sissi, dottore, Marlboro e Philip Morris col doppio filtro».

Comunissime, aviva spirato in qualichi marca rara che a Vigàta fumavano massimo cinco pirsone.

«Pigliati tu tutto» disse Montalbano a Fazio. «E conservali bene. Non è detto che non ci possono tornare utili».

«Speriamo» disse Fazio poco convinciuto.

In quel momento parse che avivano mittuto 'na bumma ad alto potenziale darrè la porta, la quali, spalancannosi e annanno a sbattiri violentemente contro il muro, ammostrò a Catarella longo stinnicchiato 'n terra con dù buste in mano.

«La posta stavo per portando» disse Catarella. «Ma sciddricai».

I tri che erano nell'ufficio circarono di ripigliarisi dallo scanto. Si taliarono e s'accapirono a volo. Non avivano che dù possibilità davanti a loro. O procedere

23

a un'esecuzione sommaria di Catarella o fare finta di nenti.

Scigliero la secunna senza mai raprire vucca.

«Mi dispiace arripetermi, ma non credo che sarà tanto facile identificare il proprietario del cavallo» disse Fazio.

«Avremmo almeno dovuto fotografarlo» fici Galluzzo.

«Non esiste un registro dei cavalli come quello delle automobili?» spiò Montalbano.

«Non lo so» arrispunnì Fazio. «E poi non sappiamo manco che tipo di cavallo era».

«In che senso?».

«Nel senso che non sappiamo se era un cavallo da tiro, d'allevamento, da monta, da corsa…».

«I cavalli si macchiano» fici a mezza voci Catarella che, dato che il commissario non gli aviva ditto di trasire, era restato davanti alla porta con le buste in mano.

Montalbano, Fazio e Galluzzo lo taliarono 'ntordonuti.

«Che hai detto?» spiò Montalbano.

«Io?! Io nenti dissi» fici Catarella scantato di aviri sbagliato a parlare.

«Ma se parlasti ora ora! Che hai detto che fanno i cavalli?».

«Dissi che si macchiano, dottori».

«E di che si macchiano?».

Catarella parse dubitoso.

«Quanno si macchiano di che cosa è che si macchiano io non lo saccio di che si macchiano, dottori».

«Va bene, lascia la posta e vattene».

Mortificato, Catarella posò le buste supra la scrivania e niscì con l'occhi vasci. E sulla porta squasi si scontrò con Mimì Augello che arrivava di cursa.

«Scusate il ritardo, ma ho dovuto dare adenzia al picciliddro che…».

«Sei scusato».

«E quei reperti che sono?» spiò Mimì videnno supra la scrivania la corda e i muzzuna di sicarette.

«Hanno ammazzato a sprangate a un cavaddro» disse Montalbano.

E gli contò tutta la storia.

«Tu te ne intendi di cavalli?» gli spiò alla fine.

Mimì arridì.

«Basta che mi taliano e a me mi fanno scantare, figurati!».

«Ma in tutto il commissariato c'è qualcuno che ne capisce?».

«Mi pare proprio di no» disse Fazio.

«Allora per il momento lasciamo perdere. Com'è finita la facenna con Pepè Rizzo?».

Era 'na storia alla quali stava appresso Mimì. Si sospettava che Pepè Rizzo era il fornitore all'ingrosso di tutti i vocumprà della provincia, che da lui attrovavano tutto quello che al munno era possibile falsificare, dai Rolex alle magliette col caimano, dai CVD ai DVD. Mimì aveva individuato il deposito e il jorno avanti era arrinisciuto ad aviri il mandato di perquisizione dal pm. Alla dimanna, Augello si misi a ridiri.

«Abbiamo trovato il virivirì, Salvo! C'erano certe

25

cammise col marchio preciso 'ntifico all'originale che ci ho lasciato il cori e...».

«Fermo!» gli intimò il commissario.

Tutti lo taliarono strammati.

«Catarella!».

La vociata che fici fu accussì forte che a Fazio cadirono 'n terra i reperti che si stava piglianno.

Catarella arrivò di cursa, davanti alla porta aperta sciddricò novamenti, arriniscì ad affirrarisi allo stipite.

«Catarella, stammi a sintiri bono».

«Agli ordini, dottori».

«Quanno hai detto che i cavalli si macchiano, volivi diri che ai cavalli si fa la macchiatura?».

«Chisto priciso 'ntifico, dottori».

Ecco pirchì era stato accussì 'mportanti per gli aguzzini ricuperare la carcassa!

«Grazie, puoi andare. Avete capito?».

«No» disse Augello.

«Catarella ci ha ricordato, a modo sò, che i cavalli vengono marchiati a fuoco con le iniziali o del proprietario o della scuderia. Il nostro cavallo dev'essere caduto sul fianco indove c'era la marchiatura e perciò io non l'ho vista. E se devo essiri sincero, manco mi passò per la testa, la marchiatura».

Fazio si fici tanticchia pinsoso.

«Accomenzo a cridiri che forsi gli extracomunitari...».

«... non c'entrano nenti» completò Montalbano. «Stamatina, quanno ve ne siete andati via, me ne sono fatto convinto. Le tracce del carretto non arrivano fino alle baracche, ma doppo 'na cinquantina di metri

26

deviano verso la provinciale. Dove ci sarà stato sicuramente un camioncino ad aspittarli».

«Mi pare di capire» intervinni Mimì «che hanno fatto scompariri l'unica traccia che avivamo».

«E accussì arrivare al nome del proprietario non sarà facili» concluse Fazio.

«A meno di non avere un colpo di fortuna» disse Augello.

Montalbano notò che da qualichi tempo a questa parte Fazio pariva sfiduciato, faciva le cose sempre cchiù difficili. Forsi che la vicchiaia accomenzava a pisari macari supra di lui.

Ma si stavano sbaglianno, e di grosso, sulla difficoltà di viniri a canuscenza del nome del proprietario.

All'ura di mangiare andò da Enzo, ma ai piatti che quello gli sirvì non fici l'onoranza che meritavano. Aviva la testa alla scena del cavaddro martoriato, stinnicchiato supra la rina. A un certo punto gli niscì 'na dimanna che sorprese per primo a lui stisso:

«Com'è, a mangiarisi, la carne di cavallo?».

«Non l'ho mai assaggiata. Mi dicono che è duciastra».

Aviva mangiato picca e perciò non sintì il bisogno della passiata supra il molo. Sinni tornò in ufficio che aviva carte da firmare.

Erano le quattro del doppopranzo quanno il telefono squillò.

«Dottori, ci sarebbi che c'è una signura estera».

«Non ti ha detto come si chiama?».

«Sissi, dottori, me lo dissi e io ce lo dissi ora ora a vossia».

«Si chiama Estera di nome?».

«Priciso, dottori. E di cognomi fa Manni».

Estera Manni, mai sintuta nominare.

«Ti disse che vuole?».

«Nonsi».

«Allora falla parlare con Fazio o con Augello».

«Manchevoli sono, dottori».

«Va bene, falla trasire».

«Mi chiamo Esterman, Rachele Esterman» disse la quarantina in giacca e jeans, àvuta, biunna, capilli supra le spalli, gammi longhe, occhi azzurri, corpo sodo e atletico. 'Nzumma propio come uno s'immagina che erano le valchirie.

«Si accomodi, signora».

Lei s'assittò, accavallò le gammi. Com'è che, accavallate, le gammi parsero ancora cchiù longhe?

«Mi dica».

«Vengo a denunziare la scomparsa di un cavallo».

Montalbano satò dalla seggia, ma ammucciò il brusco movimento fingenno un attacco di tosse.

«Vedo che lei fuma» disse Rachele indicanno il posacinniri e il pacchetto di sicarette supra la scrivania.

«Sì, ma la tosse non credo che dipenda da…».

«Non mi riferivo alla sua tosse, tra l'altro chiaramente finta, ma dato che lei fuma posso fumare anch'io».

E cavò fora dalla sacchetta il pacchetto.

«Veramente…».

«… qua dentro sarebbe proibito? Non le va di essere trasgressivo per il tempo di una sigaretta? Dopo apriamo la finestra».

Si susì, annò a chiuiri la porta ristata aperta, s'assittò novamenti, s'infilò 'na sicaretta tra le labbra, si sporgì verso il commissario per farisilla addrumare.

«Allora mi dica» disse ghittanno il fumo dal naso.

«No, scusi, è lei che era venuta a dirmi…».

«Prima. Ma quando lei ha reagito così maldestramente alle mie parole, ho capito che era già al corrente della sparizione. È così?».

L'occhiglauca era capaci di notare le vibrazioni dei pila del naso di chi le stava davanti. Tanto valiva jocare a carte scoperte.

«Sì, è così. Ma vogliamo andare con ordine?».

«Andiamo pure».

«Lei vive qua?».

«Mi trovo a Montelusa da tre giorni, ospite di un'amica».

«Se lei abita, sia pure provvisoriamente, a Montelusa, la denunzia per legge va fatta a…».

«Ma il cavallo l'avevo affidato a uno di Vigàta».

«Il nome?».

«Saverio Lo Duca».

Minchia! Saverio Lo Duca era di certo uno degli òmini cchiù ricchi dell'isola che a Vigàta aviva 'na sò scuderia. Quattro o cinque cavaddri di pregio che tiniva per billizza, per il puro piaciri d'avirli, non li faciva mai partecipari a corse e gare. Ogni tanto s'arricampava da fora e passava 'na jornata intera con le vestie. Amici potenti, era sempri 'na gran camurria aviri a chi fari con

29

lui, si corriva il pricolo di diri 'na parola di troppo, di pisciare fora dal rinale.

«Mi faccia capire. Lei è venuta a Montelusa portandosi appresso il cavallo?».

Rachele Esterman lo taliò strammata.

«Certo. Dovevo».

«E perché?».

«Perché dopodomani, a Fiacca, c'è la corsa delle dame, quella che ogni due anni organizza il barone Piscopo di San Militello».

«Ho capito».

Era 'na farfantaria, non sapiva nenti di quella cursa.

«Quando si è accorta della sparizione?».

«Io?! Io non mi sono accorta di niente. Mi ha telefonato stamattina all'alba a Montelusa il custode della scuderia di Sciscì».

«Non ho...».

«Mi scusi. Sciscì è Saverio Lo Duca».

«Ma se è stata avvertita della sparizione all'alba...».

«... perché ho aspettato tanto per fare la denunzia?».

Intelligente, era. Ma la manera che aviva di terminare lei le frasi principiate da lui era 'na cosa che gli dava fastiddio.

«Perché il mio cavallo sauro...».

«Si chiama Sauro? Come Nazario Sauro, l'eroe?».

Lei arridì di cori, ghittanno la testa narrè.

«In materia lei è completamente digiuno, vero?».

«Beh...».

«Si chiamano sauri i cavalli che hanno il mantello biondo. Il mio cavallo, che tra l'altro si chiama Super, ogni tanto scappa e bisogna andarlo a cercare. L'hanno cercato e alle tre mi hanno telefonato che non l'avevano trovato. Quindi ho pensato che non era scappato».

«Ho capito. Non può darsi che nel frattempo…».

«Mi avrebbero chiamata al cellulare».

Si fici addrumare un'altra sicaretta.

«E ora mi dia la cattiva notizia».

«Cosa le fa supporre che…».

«Commissario, lei è stato abilissimo. Con la scusa di voler procedere con ordine, non ha risposto alla mia domanda. Ha preso tempo. E questo non può significare che una cosa sola. L'hanno sequestrato? Devo aspettarmi una grossa richiesta di denaro?».

«Vale molto?».

«Una fortuna. È un purosangue inglese da pista».

Che fare? Meglio dirle ogni cosa, a piccoli passi, tanto quella avrebbe finito con l'addiminare.

«Non è stato sequestrato».

Rachele Esterman si appuiò allo schinale della seggia, rigida e di colpo pallida.

«Come fa a dirlo? Ha parlato con qualcuno della scuderia?».

«No».

A Montalbano, taliannola, parse di sintiri gli ingranaggi del ciriveddro di lei che giravano a grannissima velocità.

«È… morto?».

«Sì».

La fìmmina s'avvicinò il posacinniri, si livò la sicaretta dalla vucca e l'astutò con un'attenzione estrema.

«È stato travolto da qualche…».

«No».

Non dovitti capirlo subito il significato, pirchì ripitì a se stessa a voci vascia:

«No».

Po' accapì di colpo.

«L'hanno ucciso?».

«Sì».

Lei non disse 'na parola, si susì, annò alla finestra, la raprì, s'appuiò coi gomiti supra al davanzale. Le spalli ogni tanto le si scotevano. Stava chiangenno silenziosamente.

Il commissario la lassò tanticchia sfogare, po' si susì e annò a mittirisi allato a lei alla finestra. S'addunò che continuava a chiangiri. Allura dalla sacchetta cavò fora un pacchetto di fazzoletti di carta e glielo dette.

Po' annò a inchiri un bicchiere da 'na buttiglia d'acqua che tiniva supra un classificatore e glielo pruì. Rachele se lo vippi tutto.

«Ne vuole ancora?».

«No, grazie».

Tornarono 'nzemmula ai posti di prima. Rachele pariva tornata calma, ma Montalbano si scantava delle dimanne che ancora erano da vinire, per esempio…

«Come l'hanno ammazzato?».

… ecco. L'aviva fatta la dimanna difficile! Ma non era meglio che invece di fari a dimanna e risposta, le contava tutta la facenna, dal momento che aviva rapruto la finestra?

«Mi stia a sentire» principiò.

«No» disse Rachele.

«Non vuole starmi a sentire?».

«No. Ho capito. Si rende conto che sta sudando?».

Non se n'era addunato. Forsi quella fìmmina abbisognava arrollarla nella polizia, non le scappava nenti.

«E che significa?».

«Significa che devono averlo ammazzato in un modo atroce. E a lei viene difficile dirmelo. È così?».

«Sì».

«Potrei vederlo?».

«Non è possibile».

«Perché?».

«Perché chi l'ha ammazzato se l'è portato via».

«A che scopo?».

Già, a che scopo?

«Vede, noi avevamo supposto che avessero rubato la carcassa...».

La parola dovette ferirla, pirchì per un attimo chiuì l'occhi.

«... per non farci vedere la sigla della marchiatura...».

«Non era marchiato».

«... e quindi risalire al proprietario. Ma si è rivelata una supposizione sbagliata, perché comunque lei è venuta a denunziare la sparizione».

«Allora, se immaginavano che io avrei sporto denunzia, a che scopo portarselo via? Certo non penso che vogliano farmelo ritrovare dentro al letto».

Montalbano si sintì pigliato dai turchi. Che era 'sta storia del letto?

«Si vuole spiegare meglio?».

«Non ha visto *Il padrino*, quando al produttore cinematografico...».

«Ah, sì».

Pirchì nella pellicula 'nfilavano la testa tagliata del cavaddro nel letto del produttore? Se l'arricordò.

«Ma lei, mi scusi, ha per caso ricevuto una proposta alla quale non si può dire di no?».

Lei fici un sorriseddro tirato.

«Me ne hanno fatte tante, di proposte. Ad alcune ho detto di sì, ad altre di no. E non c'è mai stato bisogno d'ammazzare un cavallo».

«È venuta altre volte da queste parti?».

«L'ultima volta due anni fa, per lo stesso motivo. Vivo a Roma».

«È sposata?».

«Lo sono e non lo sono».

«I rapporti con...».

«... mio marito sono ottimi. Fraterni, direi. E poi Gianfranco, piuttosto che ammazzare un cavallo, preferirebbe suicidarsi».

«Non ha idea del motivo per cui le hanno fatto una cosa simile?».

«L'unico motivo potrebbe essere quello di eliminarmi dalla corsa di dopodomani che avrei sicuramente vinto. Ma mi pare francamente un gesto eccessivo».

Si susì. Montalbano macari.

«La ringrazio per la sua cortesia».

«Non vuole fare la denunzia?».

«Ora che so che è morto, non importa».

«Torna a Roma?».

«No. Dopodomani andrò lo stesso a Fiacca. E poi ho deciso di restare ancora qualche giorno. Mi piacerebbe che lei mi tenesse al corrente, se riesce a scoprire qualcosa».

«Lo spero. Dove posso trovarla?».

«Le do il numero del mio cellulare».

Il commissario se lo scrivì supra a un foglio di carta che si mise 'n sacchetta.

«E comunque» proseguì la fìmmina «può sempre chiamare l'amica che mi ospita».

«Mi dia il numero di telefono».

«Il numero di telefono della mia amica lei lo conosce benissimo. È quello di Ingrid Sjostrom».

Tre

«E accussì la signora Rachele Esterman, in un vidiri e svidiri, ha mannato a farisi futtiri tutte le nostre
belle ipotesi» concludì Montalbano, finenno il resoconto
dell'incontro.

«Lassanno però tutti i nostri problemi accussì com'e-
rano prima» disse Augello.

«In primisi: pirchì hanno sequestrato e ammazzato
il cavaddro di 'na forastera?» spiò Fazio.

«Beh» intervenne il commissario. «Potrebbe darsi che
non ce l'hanno con lei, ma con Saverio Lo Duca».

«Ma allora avrebbero pigliato e ammazzato un cavallo
di sua proprietà» obiettò Mimì.

«Capace che non lo sapivano che quel cavaddro non
era di proprietà di Lo Duca. Ma forsi lo sapivano benissimo e l'hanno ammazzato propio pirchì non era di
Lo Duca».

«Non ho capito il ragionamento» fici Augello.

«Metti conto che c'è gente che vuole fare un danno
a Lo Duca. Un danno d'immagine. Se gli ammazzano
un cavallo suo, la facenna forse non varca manco i con-
fini della provincia. Ma se invece ammazzano il cavaddro
di una del sò ambiente, che lui ha in custodia, quella,

appena torna a Roma, conta a tutti il fatto e, direttamente o indirettamente, lo sputtana. Sappiamo tutti che
Lo Duca si vanta a dritta e a manca di essiri un intoc-
cabile, che tutti qua lo rispettano, mafia compresa. Ti
fila?».

«Mi fila» disse Mimì.

«Il ragionamento funziona» ammise Fazio. «Ma mi
pare tanticchia troppo a gioco di sponda».

«Può darsi» ammise Montalbano. «E in secundisi:
pirchì si sono pigliati la carcassa rischianno di grosso?».

«Tutto quello che abbiamo pensato in proposito è risultato completamente sbagliato. E, sinceramente, ora
comc ora non mi vengono in testa altre ipotesi» disse
Augello.

«E tu hai qualche idea?».

«Nonsi» fici Fazio sconsolato.

«Allora fermiamoci qua» disse Montalbano. «Quanno qualcuno avrà 'na brillante supposizione...».

«Un momento» intervinni Mimì. «La signora Esterman ci ha ripensato e ha ritenuto inutile sporgere denunzia. Quindi vorrei sapere: noi su che basi ci muoviamo?».

«Ci muoviamo su una base, Mimì, che ora vengo e
mi spiego. Ma prima devo farti una domanda. Sei d'accordo che una cosa così può avere conseguenze gravi?».

«Beh, sì».

«Allura la base, ufficiosa e non ufficiale, è questa:
cercare in qualche modo di prevenire una possibile
reazione. Di chi? Non lo sappiamo. Come? Non lo sappiamo. Dove? Non lo sappiamo. Quando? Non lo sap-

piamo. Se vuoi chiamarti fora perché ci sono troppe incognite, non hai da fare altro che dirmelo».

«Io mi ci addiverto con le incognite» disse Mimì.

«Mi fa piaciri che ci stai. Fazio, tu lo sai dove Lo Duca tiene i cavalli?».

«Sissi, dottore. A Monserrato, dalle parti di villaggio Columba».

«Ci sei mai stato?».

«Nonsi».

«Domani a matino presto vacci a dare un'occhiata e cerca macari di sapiri chi ci travaglia. È facile che una o più pirsone ci trasino e arrobbano un cavaddro? Opuro hanno avuto di bisogno di qualichi complici interno? Di notte, ci dorme sulo il guardiano? Insomma, tutto quello che secunno tia può darci un punto di partenza».

«E io?» spiò Augello.

«Tu lo sai chi è Michilino Prestia?».

«No. Chi è?».

«Un ex contabile fissa, un prestanome dei veri organizzatori delle corse clandestine. Fatti dire da Fazio quello che già sa su di lui e poi vai avanti per conto tuo».

«Va bene. Ma mi spieghi che ci trasino le corse clandestine?».

«Non lo so se ci trasino o no, ma è meglio che non tralasciamo nenti».

«Mi permette, dottore?» intervinni Fazio.

«Dimmi».

«Non è meglio se io e il dottor Augello ci scangiamo il chiffari? Pirchì, vidissi, io accanoscio pirsone vicine a Prestia che...».

«Mimì, sei d'accordo?».

«Questa o quella per me pari sooono...» canticchiò Mimì.

«Allora, buona sirata a tutti e...».

«Un momento» disse Augello «mi spiace passari per camurrioso, ma vorrei fare un'osservazione».

«Parla».

«Noi forse facciamo un errore dato che stiamo pigliando come oro colato quello che è venuta a contarci la signora Esterman».

«Spiegati meglio».

«Salvo, lei è venuta a dirti che non c'era nisciuna ragione al mondo che le ammazzassero il suo cavallo e pa tatì patatà. Però è quello che sostiene lei. E noi abbiamo ammuccato come picciliddri. Ma le cose stanno veramente accussì?».

«Ho capito. Tu pensi che sarebbe opportuno sapiri qualichi cosa di più supra la bella signora Rachele?».

«Esattamente».

«D'accordo, Mimì. Me ne occupo io».

Prima di partirisinni per Marinella, chiamò a Ingrid.

«Pronto, casa Sjostrom?».

«Sbaghliato nambaro».

Ma indove le annava a piscare Ingrid le cammarere?

Controllò il nummaro che aviva fatto a memoria. Era giusto.

Forsi aviva sbagliato a diri il nome di Ingrid da schetta, certamente la cammarera non l'accanosceva.

Ma qual era il nome da maritata? Non se l'arricordò. Richiamò.

«Pronto? Vorrei parlare con la signora Ingrid».

«Zignuora non ezziri guì».

«E tu zapiri se zignuora torna?».

«Non zapiri, non zapiri».

Riattaccò. Fici il nummaro del cellulare.

«Il telefono della persona…».

Santiò e lassò perdiri.

Sintì il telefono che sonava mentri 'nfilava la chiave nella toppa. Raprì. Currì a sollevare il ricevitore.

«Mi hai cercata?».

Era Ingrid.

«Sì. Ho bisogno di…».

«Tu mi chiami solo quando hai bisogno di qualcosa. Mai che mi proponi una cenetta intima, anche senza la prevedibile conclusione, solo per il piacere di stare insieme».

«Lo sai bene che non è vero».

«Purtroppo è come dico io. Che ti occorre stavolta? Conforto? Assistenza? Complicità?».

«Niente di tutto questo. Vorrei che tu mi dicessi qualcosa della tua amica Rachele. È con te?».

«No, è a cena a Fiacca con gli organizzatori della corsa. A me non andava. Ha fatto colpo su di te?».

«Non si tratta di un fatto privato».

«Ehi, come siamo diventati formali! Ad ogni modo sappi che Rachele, quando è tornata, non ha fatto altro che parlare bene di te. Di quanto sei gentile, comprensivo, simpatico, perfino bello, il che mi sembra francamente eccessivo... Quando vuoi che ci vediamo?».

«Quando vuoi tu».

«Che ne diresti se venissi a Marinella?».

«Ora?».

«Perché no? Che ti ha fatto trovare Adelina?».

«Non ho ancora guardato».

«Guarda e prepara la tavola sulla verandina. Ho molto appetito. Tra mezzora sono da te».

Un piatto funnuto con tanta caponatina che traboccava. Sei triglie con la cipuddrata. Da mangiari più che bastevole per dù pirsone. Il vino c'era. Conzò la tavola. Faciva frisco, ma non tirava manco tanticchia di vento. Per scrupolo, annò a controllare se aviva ancora whisky. C'era 'na buttiglia con sulo dù dita sul funno. Una cena con Ingrid era inconcepibile senza 'na robusta vivuta finale. Lassò tutto com'era e si mise in machina.

Al bar di Marinella accattò dù buttiglie che gli ficiro pagare quattro volte il prezzo normale. Appena imboccò la stratuzza che portava alla casa, vitti la potenti machina rossa di Ingrid. Ma lei non c'era. La chiamò, non arrispunnì. Allura pinsò che Ingrid era scinnuta supra la pilaja, aviva firriato torno torno al muro della casa ed era trasuta dalla verandina.

Raprì la porta, ma Ingrid non gli annò incontro. La chiamò.

«Sono qua» si sintì arrispunniri dalla càmmara di dormiri.

Posò le buttiglie supra alla tavola e ci annò. E la vitti che stava niscenno da sutta al letto.

«Che stavi facendo?» spiò strammato.

«Mi nascondevo».

«Hai voglia di giocare a nascondino?».

Sulo allura si addunò che Ingrid era pallida e che le mano le trimavano tanticchia.

«Ma che è successo?».

«Sono arrivata, ho suonato e, dato che non aprivi, ho deciso di entrare dalla verandina. Ma appena girato l'angolo ho visto due uomini che uscivano da dentro la casa e andavano via. Allora mi sono allarmata e sono entrata, pensando che... Poi mi sono detta che quelli potevano tornare e mi sono nascosta. Ce ne hai whisky?».

«Tutto quello che vuoi».

Annarono nell'altra càmmara, lui raprì 'na buttiglia, le inchì mezzo bicchieri e lei se lo scolò.

«Mi sento meglio».

«Li hai visti bene?».

«No, li ho solo intravisti. Mi sono subito tirata indietro».

«Erano armati?».

«Non te lo so dire».

«Vieni».

Se la portò sulla verandina.

«Da che parte sono andati?».

Ingrid parse dubitosa.

«Non saprei. Quando ho guardato nuovamente, dopo qualche secondo, erano spariti, non c'erano più».

«Strano. C'è un po' di luna. Avresti almeno dovuto vedere due ombre che s'allontanavano».

«Non c'era nessuno».

Allura viniva a dire che si erano ammucciati nei paraggi e aspittavano che lui tornava?

«Un momento solo» disse a Ingrid.

«Nemmeno per sogno. Vengo con te».

Montalbano niscì dalla porta con Ingrid praticamente 'mpiccicata alla sò schina, raprì la machina, pigliò la pistola dal cassetto del cruscotto e se la mise 'n sacchetta.

«La tua macchina è chiusa a chiave?».

«No».

«Chiudila».

«Fallo tu» disse lei pruiennogli le chiavi. «Ma prima guarda se dentro c'è qualcuno nascosto».

Montalbano taliò dintra alla machina, la chiuì, tornarono in casa.

«Ti sei spaventata molto. Non ti ho mai...».

«Sai, quando quei due sono andati via e io sono entrata e ti ho chiamato e tu non hai risposto ho pensato che ti avessero...».

Si fermò, l'abbrazzò, lo vasò sulla vucca.

Ricambianno, Montalbano sintì che la sirata stava piglianno 'na strata perigliosa. Allura le dette dù colpetti amichevoli alle spalle con la mano.

Lei accapì il messaggio e si staccò.

«Chi pensi che fossero?» spiò.

«Non ne ho la minima idea. Può darsi dei ladruncoli che m'hanno visto uscire e...».

«Ma non raccontarmi storie alle quali non credi tu stesso!».

«Ti assicuro che...».

«Come facevano dei ladruncoli a sapere che non c'era nessun altro in casa? E perché non hanno rubato niente?».

«Non gliene hai dato il tempo».

«Ma se non mi hanno nemmeno vista!».

«Però ti hanno sentita suonare alla porta, chiamare... Dai, andiamo che Adelina ha preparato una...».

«Ho paura a mangiare sulla verandina».

«Perché?».

«Saresti un bersaglio facile».

«Ma dai, Ingrid...».

«Allora perché hai preso la pistola?».

Non aviva torto, a pinsaricci bono. Ma volle tranquillizzarla.

«Senti, Ingrid, da quando abito a Marinella, e sono passati anni e anni, mai nessuno è venuto qua con cattive intenzioni».

«A tutto c'è sempre un inizio».

E manco stavolta aviva torto.

«Dove vuoi mangiare?».

«In cucina. Porta tutto di là e poi chiudi la porta-finestra. Ma mi è passato l'appetito».

Il pititto le tornò dù bicchieri di whisky appresso.

Si puliziaro la caponatina, si spartero equamente tri triglie a testa.

«Quando comincia l'interrogatorio?» spiò Ingrid.

44

«In cucina? Andiamo di là che c'è un divano comodo».

Si portaro appresso 'na buttiglia di vino appena principiata e quella di whisky già mezza. S'assittaro supra al divano, ma Ingrid si susì, s'avvicinò 'na seggia, ci stinnicchiò le gammi supra. Montalbano s'addrumò 'na sicaretta.

«Attacca».

«Della tua amica vorrei sapere...».

«Perché?».

«Perché non so nulla di lei».

«E perché vuoi saperne di più se non t'interessa come donna?».

«M'interessa come commissario».

«Che ha fatto?».

«Lei niente. Ma, come saprai, le hanno ammazzato il cavallo, tra l'altro in un modo barbaro».

«Come?».

«A colpi di spranga di ferro. Ma non lo dire a nessuno, nemmeno alla tua amica».

«Non lo dirò a nessuno. Ma tu come l'hai saputo?».

«L'ho constatato coi miei occhi. È venuto a morire qui, davanti alla verandina».

«Davvero? Raccontami».

«Che c'è da raccontare? Mi sono svegliato, ho aperto la finestra e l'ho visto».

«Va bene, ma perché vuoi sapere di lei?».

«La tua amica sostiene di non avere nemici, di conseguenza io sono costretto logicamente a pensare che il cavallo è stato ammazzato per fare uno sgarbo a Lo Duca».

«Embè?».

«Ma io devo sapere se le cose stanno veramente così. Da quand'è che la conosci?».

«Da sei anni».

«Come vi siete conosciute?».

Ingrid si misi a ridiri.

«Vuoi proprio saperlo?».

«Direi».

«A Palermo, all'hotel Igea. Erano le cinque di pomeriggio ed io ero a letto con un tale Walter. Ci eravamo dimenticati di chiudere a chiave la porta. E lei è entrata come una furia. Io non sapevo che Walter aveva un'altra donna. Walter, che si stava rivestendo, è riuscito a scappare. Lei è piombata su di me che ero impietrita a letto e ha tentato di strangolarmi. Fortunatamente due clienti che stavano passando nel corridoio sono intervenuti a fermarla».

«E con questa bella partenza come avete fatto a diventare amiche?».

«La sera stessa io stavo mangiando sola al ristorante dell'hotel e lei è venuta a sedersi al mio tavolo. Mi ha chiesto scusa. Abbiamo chiacchierato un po', abbiamo convenuto che Walter era uno stronzo vigliacco, ci siamo fatte simpatia, siamo diventate amiche. Ecco tutto».

«È venuta diverse volte a trovarti a Montelusa?».

«Sì. E non solo in occasione della corsa a Fiacca».

«Le hai fatto conoscere molte persone?».

«Praticamente tutti i miei amici. E altri li ha conosciuti lei al di fuori di me. Per esempio, ha un giro d'amicizie a Fiacca che io non conosco».

«Ha avuto qualche storia?».

«Con i miei amici, no. Ma non posso dirti niente su quello che combina a Fiacca».

«Lei non te ne parla?».

«Mi ha fatto un accenno a un tale Guido».

«Ci va a letto?».

«Non saprei. Lo descrive come una specie di cavalier servente».

«Ma nessuno dei tuoi amici ci ha provato?».

«Se è per questo, quasi tutti».

«E tra questi quasi tutti, chi in modo particolare?».

«Beh, Mario Giacco».

«Non può darsi che a tua insaputa la tua amica...».

«... sia stata con lui? Possibile, anche se non...».

«E non potrebbe darsi che Giacco, per vendicarsi di essere stato lasciato, abbia organizzato l'uccisione del cavallo?».

Ingrid non ebbe esitazioni.

«L'escludo nel modo più assoluto. Mario, che è un ingegnere, da un anno si trova in Egitto. Lavora per una compagnia petrolifera».

«Era un'ipotesi stupida, lo so. E con Lo Duca in che rapporti sta?».

«Non so niente dei suoi rapporti con Lo Duca».

«Ma se lei gli ha dato da tenere il cavallo, vuol dire che sono amici. Tu lo conosci a Lo Duca?».

«Sì, ma mi sta antipaticissimo».

«Rachele te ne ha parlato?».

«Qualche volta. Con indifferenza, direi. Non credo che tra loro due ci sia stato qualcosa. A meno che Rachele non voglia tenermi nascosta la relazione».

«L'ha fatto altre volte?».

«Beh, stando a quello che ipotizzi tu…».

«Che tu sappia Lo Duca è a Montelusa?».

«È arrivato oggi dopo che ha saputo del cavallo».

«Esterman è il suo cognome da nubile?».

«No. È il cognome di Gianfranco, il marito. Lei si chiama Anselmi Del Bosco, è una nobile».

«Mi ha detto che col marito ha solo rapporti fraterni. Perché non divorzia?».

«Divorziare?! Ma che dici? Gianfranco è cattolicissimo, va a messa, si confessa, non so che incarico importante abbia al Vaticano, non divorzierebbe mai. Credo che non siano nemmeno separati».

Arridì novamenti, ma non fu 'na risata d'alligria.

«Insomma, è nella mia stessa condizione. Mentre vado a fare pipì, tu apri l'altra bottiglia di whisky».

Si susì. Sbandò prima a mancina e po' a dritta, ritrovò l'equilibrio e s'avviò incerta. Senza addunarisinni, si erano vivuti tutto.

Quattro

E annò a finiri come le altre volte.

A una certa ura, che della secunna buttiglia di whisky ne arristavano quattro dita scarsi, e avivano parlato di tutto meno che di Rachele Esterman, Ingrid disse che gli era calato sonno e che voliva subito annare a dormire.

«Ti accompagno a Montelusa, tu non sei assolutamente in condizioni di guidare».

«E tu, invece, sì?».

In effetti, al commissario firriava tanticchia la testa.

«Ingrid, vado a lavarmi la faccia e sono pronto».

«Io invece sono dell'opinione di andare a farmi la doccia e poi d'infilarmi a letto».

«Nel mio?».

«E quali altri letti ci sono? Farò alla svelta» continuò lei con voci 'mpastata.

«Senti, Ingrid, non è per...».

«Dai, Salvo. Che ti prende? Non è la prima volta, no? E poi lo sai che mi piace tanto dormire castamente accanto a te».

Castamente, 'na minchia! Lo sapiva lui il prezzo che pagava per quella castità: insonnia, susute in piena notti per urgenti docce fridde...

«Sì, ma vedi…».

«Ed è così erotico!».

«Ingrid, ma io non sono un santo!».

«È proprio su questo che conto» disse Ingrid arridenno e susennosi dal divano.

La matina appresso s'arrisbigliò tardo, che la testa gli faciva tanticchia male. Aviva vivuto troppo. Di Ingrid restava nel linzolo e nel cuscino il sciauro della sò pelli.

Taliò il ralogio, erano squasi le novi e mezza. Forsi Ingrid aviva chiffari a Montelusa e l'aviva lassato dormiri. Ma come mai Adelina non era ancora arrivata?

Po' s'arricordò che era sabato, la cammarera ogni sabato s'arricampava verso mezzojorno, prima annava a fari la spisa per la simana.

Si susì, annò in cucina, si priparò 'na cafittera di cafè forti, passò nella càmmara di mangiari, raprì la portafinestra, niscì nella verandina.

La jornata pariva 'na fotografia. Non essennoci un filo di vento, tutto era fermo, illuminato da un soli particolarmente attento a non lassari nenti nell'ùmmira. Non c'era manco risacca.

Ritrasì dintra e di subito s'addunò della sò pistola supra al tavolino.

Strammò. Che ci faciva la…

Po', tutto 'nzemmula, s'arricordò della sira avanti, di quello che gli aviva contato Ingrid tutta scantata, che dù òmini erano trasuti in casa quanno era nisciuto per annare al bar di Marinella ad accattare il whisky.

Pinsò che nel cascione del commodino tiniva sempri 'na busta con dù o tricento euro di riserva, i dinari che gli abbisognavano per la simana li pigliava al bancomat e se li tiniva 'n sacchetta. Annò a controllare, la busta stava al posto sò con tutti i soldi dintra.

Il cafè era passato, sinni vippi dù tazze una appresso all'altra e ripigliò a taliare casa casa se mancava qualichi cosa.

Doppo 'na mezzorata, si fici pirsuaso che apparentemente non ammancava nenti. Apparentemente. Pirchì dintra alla sò testa c'era un pinsero che lo disagiava, che gli diciva che c'era 'na cosa che ammancava e che non aviva notato.

Annò in bagno, si fici la doccia e la varba, si vistì. Pigliò la pistola, chiuì la porta, raprì la machina, trasì, 'nfilò la pistola nel cascione del cruscotto, mise in moto e restò fermo.

Tutto 'nzemmula, gli era vinuto a menti cos'era che ammancava. Ne volle conferma. Ritrasì 'n casa, annò nella càmmara di letto, raprì novamenti il cascione del commodino. I latri si erano arrubbato il ralogio d'oro di sò patre, avivano lassato la busta che c'era supra non pinsanno che dintra ci stavano soldi. Non avivano potuto arrubbare altro pirchì avivano sintuto arrivare a Ingrid.

Allura provò dù sentimenti contrastanti. Raggia e sollievo. Raggia pirchì a quel ralogio c'era affezionato, era uno dei pochi ricordi che si portava appresso. Sollievo pirchì questa era la prova che i dù che erano trasuti nella sò casa erano solamente dù latri dilettanti, che di certo manco sapivano che erano ghiuti ad arrubbare in casa di un commissario di polizia.

Siccome che quella matina non aviva tanto chiffare in ufficio, passò dalla libreria e fici rifornimento. Quanno annò a pagare, s'addunò che gli autori erano tutti svidisi: Enquist, Sjöwall-Wahlöö e Mankell. Un omaggio inconscio a Ingrid? Po' s'arricordò che aviva bisogno di almeno dù cammise nove. E aviri 'n'autri para di mutanne non guastava. E annò ad accattarisille.

Arrivò in commissariato che era squasi mezzojorno.

«Ah dottori dottori!».

«Che fu, Catarè?».

«Ci stavo per telefonando, dottori!».

«Perché?».

«Datosi che non lo vidiva arrivare, mi pigliai di prioccupazione. Mi scantai che erasi malato».

«Sto benissimo, Catarè. Ci sono novità?».

«Nisciuna, dottori. Ma il dottori Augello che vinni ora ora mi disse di faricci avvertenzia appena che se vossia s'arricampava in loco».

«Digli che sono arrivato».

Mimì apparse sbadiglianno.

«Hai sonno? Hai dormito fino a tardo e ti sei scordato che dovevi andare a villaggio Columba...».

Augello isò 'na mano a fermarlo, sbadigliò di novo rumorosamente e s'assittò.

«Siccome che il picciliddro stanotte non ci ha fatto chiudere occhio...».

«Mimì, questa scusa comincia a rompermi i cabasisi. Ora telefono a Beba e sento se è vero».

«Faresti 'na gran malafiura. Beba confermerebbe. Se mi lasci finire di parlare...».

«Parla».

«Alle cinque di stamatina, visto che ero perfettamente vigliante, me ne sono partito per villaggio Columba. Ho pinsato che lì devono accomenzare a travagliare la matina presto. La scuderia è stato difficile attrovarla. Ci s'arriva piglianno la strata per Montelusa. Doppo tri chilometri, a manca, c'è 'na sterrata, 'na strata privata che porta alla scuderia la quale è tutta recintata. C'era un varco con una sbarra di ferro calata e allato un palo con un pulsante. Ho pinsato di scavalcare la sbarra».

«Minchiata».

«E infatti ho premuto il pulsante e doppo tanticchia è comparso un omo da una baracca di ligno che mi ha spiato chi ero».

«E tu?».

«Da come parlava e si cataminava pariva un omo delle caverne. Inutile discutere con lui. Allura gli ho detto: polizia. Con voci autoritaria. E lui mi ha fatto trasire subito».

«Non è stata 'na bella mossa. Non siamo autorizzati a...».

«Ma dai, quello non mi ha mai spiato nenti! Non sa manco come mi chiamo! Era pronto a rispondere a tutte le mie domande perché mi ha scangiato per uno della questura di Montelusa».

«Ma se la Esterman non ha denunziato il furto, come mai...».

«Aspetta che ci arrivo. Noi, di tutta la facenna, conosciamo sulo la mezza messa. Pare che sia stato Lo Duca a provvedere alla denunzia direttamente alla questura di Montelusa in quanto la storia non è accussì semplice».

«Pirchì alla questura di Montelusa?».

«La scuderia sta mità in territorio nostro e mità in quello di Montelusa».

«E qual è la storia?».

«Aspetta che prima ti spiego com'è fatta la scuderia. Dunque, passata la sbarra, a mano manca ci stanno dù baracche di ligno, una chiuttosto granni, l'altra più piccola, e un fienile. La prima è la casa del guardiano che ci abita jorno e notti e nella secunna ci tengono i finimenti e tutto quello che serve per la cura delle vestie. A mano dritta ci sono dieci box in fila, dove stanno i cavalli. Dall'ultimo box si parte un maneggio grannissimo».

«E i cavalli stanno sempre lì?».

«No, li portano a pascolare ai prati della Voscuzza, che sono di proprietà di Lo Duca».

«Ma l'hai saputo com'è andata?».

«Come no! Il troglodita, che si chiama... Aspetta».

Cavò dalla sacchetta un foglietto, inforcò un paro d'occhiali. Montalbano aggelò.

«Mimì!».

Fu squasi un grido. Augello lo taliò surpriso.

«Che c'è?».

«Ma tu... tu...».

«O matre santa, che feci?».

54

«Tu porti l'occhiali?!».

«Beh, sì».

«E da quanno?».

«Aieri a sira sono andato a ritirarli e oggi me li sono messi per la prima volta. Se ti portano disturbo, me li levo».

«Maria, quanto mi pari strammo, Mimì, con l'occhiali!».

«Strammo o non strammo, ne avivo necessità. E se vuoi un consiglio, macari tu dovresti farti dare 'na taliata all'occhi».

«Io ci vedo benissimo!».

«Lo dici tu. Ma io vedo che per leggere, da qualche tempo, hai cominciato a tenere le vrazza stise».

«E che significa?».

«Significa che sei presbite. E non fare quella facci! Mittirisi un paro d'occhiali non è la fine del munno!».

La fine del munno certo no, ma la fine dell'età adulta sì. Mittirisi l'occhiali significava arrendersi alla vicchiaia senza fare un minimo di resistenza.

«Allura, come si chiama il troglodita?» spiò sgarbato.

«Firruzza Antonio, è l'omo delle pulizie che momentaneamente sostituisce il guardiano che si chiama Ippolito Vario».

«E dov'è il guardiano?».

«All'ospitale».

«Quindi la notte del furto di guardia c'era Firruzza?».

«No, c'era Ippolito».

«Allura fa Vario di cognome?».

Era distratto. Non arrinisciva a staccari l'occhi da Augello con l'occhiali.

«No, Vario è il nome».

«Non ci staio accapenno cchiù nenti».

«Salvo, se non la finisci d'interrompermi continuamente, io stisso mi perdo. Che vogliamo fare?».

«Va bene, va bene».

«Dunque, quella notte, verso le dù, Ippolito viene arrisbigliato dal sono del campanello».

«Vive solo?».

«Bih, che camurria! Mi lassi parlare, sì o no? Sì, vive solo».

«Scusami. Ma non ti starebbe meglio 'na montatura cchiù leggera?».

«A Beba piace accussì. Posso continuare?».

«Sì, sì».

«Ippolito si susi perché pensa che Lo Duca sia tornato da fora e sia stato pigliato dalla smania di vidiri i sò cavalli. L'ha già fatto altre volte. Piglia 'na torcia e va alla sbarra. Tieni presente che è 'na notti scurusa. Ma quanno è vicino all'omo che aspetta di trasire, s'adduna che non è Lo Duca. Gli spia che vuole e quello per tutta risposta gli punta contro un revorbaro. Ippolito viene costretto a raprire la sbarra con le chiavi, l'omo se le fa consegnare e po' abbatte a Ippolito con una gran botta 'n testa col calcio del revorbaro».

«Quindi il guardiano non ha potuto vedere altro. A proposito, quante diottrie hai?».

Mimì si susì arraggiato.

«Dove vai?».

«Me ne vado e torno sulo quanno ti passa 'sta fissazione dei mè occhiali».

«Assèttati, dai. Ti giuro che non ti spio cchiù nenti dell'occhiali».

Mimì si riassittò.

«Dov'ero rimasto?».

«Il guardiano aveva mai visto prima l'uomo che l'ha aggredito?».

«Mai. La conclusione è che Ippolito viene ritrovato da Firruzza e da altri dù òmini che abbadano ai cavaddri, nella sò casa, legato, imbavagliato e con una forte commozione cerebrale».

«Allora non può essere stato Ippolito a telefonare alla Esterman per avvertirla del furto».

«Evidente».

«Forse sarà stato Firruzza».

«Quello?! Impossibile».

«Allora chi è stato?».

«Ti pare importante? Posso continuare?».

«Scusami».

«Comunque, Firruzza e gli altri dù òmini vidino subito dù box aperti e si rendono conto che dù cavalli sono stati arrubbati».

«Come due?» spiò Montalbano strammato.

«Esattamente. Due. Quello della signora Esterman e un cavallo di Lo Duca che si assimigliavano».

«Vuoi vedere che si sono trovati davanti all'imbarazzo della scelta e, per il sì o per il no, se li sono pigliati tutti e due?».

«L'ho spiato a Pignataro e lui...».

«Chi è Pignataro?».

«Uno dei dù che ogni jorno badano ai cavalli. Matteo Pignataro e Filippo Sirchia. Pignataro sostiene che tra le quattro o cinque pirsone che sono annate ad arrubbare, almeno uno di cavalli ne doviva capire assà. Pensa che dal magazzino hanno pigliato i finimenti giusti, selle comprese, dei dù cavalli. E quindi non si è trattato d'imbarazzo a scegliere, ma se li sono portati via sapenno quello che facevano».

«Come se li sono portati?».

«Con un camion attrezzato. A tratti, si vedono ancora le tracce dei pneumatici».

«Chi avvertì Lo Duca?».

«Pignataro. Che chiamò macari l'ambulanza per Ippolito».

«Allura sarà stato Lo Duca a dire a Pignataro d'avvertire la Esterman».

«Tu ti sei amminchiato con questa storia di chi avvertì la signora. Ma potrei sapere perché?».

«Boh, non lo saccio manco io. C'è altro?».

«No. Ti pare poco?».

«Tutt'altro. Te la sei cavata».

«Grazie, maestro, per l'ampiezza, la dovizia e la varietà degli elogi che profondamente mi commuovono».

«Mimì, vattelo a pigliare dove sai».

«Come dobbiamo comportarci?».

«Con chi?».

«Salvo, non siamo la repubblica indipendente di

Vigàta. Il nostro commissariato dipende dalla questura di Montelusa. O te lo sei scordato?».

«Embè?».

«A Montelusa c'è un'indagine in corso. Non sarebbe nostro dovere informarli come e qualmente il cavallo della signora Esterman è stato ammazzato qua?».

«Mimì, ragiona un attimo. Se i nostri colleghi stanno facenno un'indagine, interrogheranno prima o doppo la signora Esterman. Giusto?».

«Giusto».

«E la signora Esterman certamente riferirà loro parola per parola quello che ha saputo da me sul suo cavallo. Giusto?».

«Giusto».

«Allora i colleghi montelusani si precipiteranno a farci domande. Alle quali noi, solo allora, doverosamente risponderemo. Giusto?».

«Giusto. Ma com'è che la somma di tutte 'ste cose giuste dà un risultato sbagliato?».

«In che senso?».

«Nel senso che i nostri colleghi possono spiarci perché noi, di nostra iniziativa, non gli abbiamo fatto sapere...».

«O matre santa! Mimì, noi non abbiamo ricevuto nessuna denunzia e loro non ci hanno manco informato del furto dei cavalli. Pari e patta».

«Se lo dici tu».

«Tornanno al discorso, quanno sei arrivato alla scuderia, quanti cavalli c'erano nei box?».

«Quattro».

«Quindi, quanno sono venuti i latri, di cavalli ce n'erano sei».

«Sì. Ma perché stai facenno 'sti conteggi?».

«Non faccio conteggi. Ma mi sto spianno pirchì i latri, dato che c'erano, non hanno arrubbato tutti i cavalli».

«Forse pirchì non avivano un numero bastevole di camion».

«Lo stai dicenno per sgherzo?».

«Ci dubiti? Sai che ti dico? Che per oggi parlai assai. Ti saluto».

Si susì.

«Mimì, ma una montatura non dico diversa, dato che questa piace a Beba, ma tanticchia cchiù chiara...».

Mimì sinni niscì santianno e sbattenno la porta.

Che senso aviva la storia di quei cavaddri? Da qualisisiasi parte la si pigliava c'era sempre qualichi cosa che non quatrava. Pri sempio: il cavaddro della Esterman era stato arrubbato per essere ammazzato. Ma pirchì non l'avivano ammazzato sul posto e invece se l'erano portato fino alla spiaggia di Marinella per farlo? E l'altro cavaddro, quello di Lo Duca, l'avivano arrubbato macari a lui per ammazzarlo? E indove l'avivano fatto? Supra la spiaggia di Santolì o nei dintorni della scuderia? E se invece uno era stato ammazzato e l'altro no, che viniva a significare?

Sonò il telefono.

«Dottori, ci sarebbi che c'è la signura Striomstriommi».

E che voleva Ingrid?

«Al telefono?».

«Sissi, dottori».

«Passamela».

«Ciao, Salvo. Scusami se stamattina non ti ho salutato ma mi sono ricordata che avevo un impegno».

«Figurati».

«Senti, mi ha telefonato Rachele da Fiacca, stanotte è rimasta lì. Ha accettato di correre con un cavallo di Lo Duca, oggi pomeriggio cercherà di pigliarci confidenza e perciò resterà ancora a Fiacca. Mi ha detto e ripetuto diverse volte che sarebbe molto contenta se venissi anche tu a vederla».

«Tu ci andresti lo stesso senza di me?».

«Col cuore straziato, ma ci andrei. Ci vado sempre quando corre Rachele».

Si tirò il paro e lo sparo. Certamente quel bell'ambientino gli avrebbe fatto firriare vorticosamente i cabasisi, ma d'altra parte era un'occasione unica per capiricci qualichi cosa di più del giro d'amicizie, e probabili inimicizie, della signora Esterman.

«A che ora è la corsa?».

«Domani pomeriggio alle cinque. Se sei d'accordo, passo a prenderti a Marinella alle tre».

Il che viniva a significare mittirisi in machina subito appresso aviri mangiato, con la panza pisanti.

«Ma tu ci metti due ore da Vigàta a Fiacca?».

«No, ma dobbiamo arrivare almeno un'ora prima. Sarebbe scortese presentarci al momento del via».

«Va bene».

«Davvero? Lo vedi che avevo ragione io?».

«Su cosa?».

«Che la mia amica Rachele aveva fatto colpo su di te».

«Ma no, ho accettato per stare qualche ora di più con te».

«Sei più falso di... di...».

«Ah, senti. Come devo vestirmi?».

«Nudo. Il nudo ti dona».

Cinque

Fazio, che non si era visto per tutta la matinata, s'arricampò in commissariato che erano squasi le cinque.

«Porti carrico?».

«Bastevole».

«Prima che rapri vucca, ti voglio dire che Mimì, stamatina presto, è annato alla scuderia di Lo Duca e ha saputo cose interessanti».

E gli riferì quello che aviva scoperto Augello. Alla fine, Fazio pigliò un'ariata dubitativa.

«Che hai?».

«Dottore, mi scusasse, ma non sarebbe meglio a questo punto che ci mettiamo in contatto coi colleghi di Montelusa e…».

«E passiamo mano?».

«Dottore, forse a loro può servire sapere che uno dei due cavalli è stato ammazzato qua, a Marinella».

«No».

«Come vuole vossia. Ma me ne spiega la ragione?».

«Se ci tieni. È un fatto personale. Sono restato malamente impressionato dalla stupida ferocia con la quale hanno ammazzato quella povira vestia. Voglio taliarla 'n facci, a questa gente».

63

«Ma lei lo può benissimo dire ai colleghi come è stato ammazzato il cavallo! Con tutti i dettagli!».

«Una cosa è contare un fatto, una cosa è averlo visto».

«Dottore, mi scusi se insisto, ma...».

«Ti sei appattato con Augello?».

«Io appattato?!» fici aggiarnianno Fazio.

Capì subito d'aviri ditto 'na minchiata.

«Scusami, sono nirbùso».

E lo era per davero. Pirchì gli era tornato a mente che aviva ditto di sì a Ingrid e ora gli era passata la gana d'annare a Fiacca e fare la fiura di uno dei tanti strunzi che sbavavano appresso a Rachele.

«Parlami di Prestia».

Fazio era ancora tanticchia offiso.

«Dottore, vossia a mia certe cose non le deve dire».

«Torno a spiarti scusa, va bene?».

Fazio tirò fora un foglio dalla sacchetta e il commissario accapì che ora quello gli avrebbi recitato tutti i dati anagrafici di Michilino Prestia e dei suoi soci. Come c'è gente che colleziona francobulla, stampe cinesi, modellini d'aeroplani, conchiglie, accussì Fazio collezionava dati anagrafici. Sicuramente, quanno tornava a la sò casa, 'nfilava nel computer i dati delle pirsone sulle quali indagava. E quanno aviva 'na jornata di riposo, se la spassava a rileggirisilli.

«Posso?» spiò Fazio.

«Sì».

Altre volte l'aviva minazzato di morte se s'azzardava a leggiri. Stavolta l'aviva offiso, e doviva riparare in qualichi modo. Fazio sorridì e principiò a leggiri. Pace fatta.

«Prestia Michele, detto Michilino, nato a Vigàta il 23 marzo 1953, fu Giuseppe e fu Larosa Giovanna, residente a Vigàta, abitante in via Abate Meli 32. Sposato nel 1980 con Stornello Grazia, nata a Vigàta il 3 settembre 1960, di Giovanni e di...».

«Questo lo potresti saltare?» spiò timidamente Montalbano che stava principianno a sudare.

«È importante».

«Va bene, vai avanti» disse il commissario rassegnato.

«... e di Todaro Marianna. Michele Prestia e Stornello Grazia hanno avuto un figlio maschio, Balduccio, deceduto in un incidente motociclistico all'età di diciotto anni. Il Prestia, dopo avere studiato ragioneria, si è impiegato a vent'anni come aiutocontabile presso la ditta Cozzo & Rampello che, allo stato attuale, è proprietaria di tre supermercati. Dieci anni dopo è stato promosso contabile. Dall'impiego si è dimesso nel 2004. Ed è tutt'ora disoccupato».

Ripiegò con cura il foglio, tornò a 'nfilarselo 'n sacchetta.

«Questo è tutto quello che arrisulta ufficialmente» disse.

«E ufficiosamente?».

«Accomenzo dal matrimonio?».

«Accomenza da indove vuoi tu».

«Michele Prestia accanoscì alla Stornello a una festa di matrimonio. E da allora le annò sempri appresso. Pigliarono a incontrarsi, ma arriniscero a tiniri a tutti am-

65

mucciata la loro storia. Finché un jorno la picciotta s'arritrova prena ed è costretta a dire tutto al patre e alla matre. A questo punto Michilino addimanna le ferie alla ditta e scompare».

«Non si voliva maritare?».

«Non gli passava manco per l'anticàmmara del ciriveddro. Ma doppo manco 'na simanata, torna a Vigàta da Palermo, indove si era ammucciato in casa di un amico, e si dichiara disposto ad un immediato matrimonio riparatore».

«Pirchì aviva cangiato idea?».

«Gliela avivano fatta cangiare».

«Chi?».

«Ora vengo e mi spiego. Se lo ricorda che le dissi chi è la matre di Stornello Grazia?».

«Sì, ma non…».

«Todaro Marianna».

E taliò con ariata d'intisa al commissario. Ma quello lo sdilluse.

«E chi è?».

«Comu cu è? È una delle tri niputi fìmmine di don Balduccio Sinagra».

«Aspetta» l'interrumpì Montalbano. «Mi stai dicenno che darrè alle corse clandestine c'è Balduccio?».

«Dottore, per favore, non facisse 'sti sàvuti da canguro. Io non ci sto dicenno ancora nenti delle corse clandestine. Eravamo fermi al matrimonio».

«Va bene, vai avanti».

«Todaro Marianna va dallo zio e gli conta come e qualmenti la figlia eccetera eccetera. A questo punto don Balduccio ci mette ventiquattr'ore precise a ritrovare a Michilino a Palermo e se lo fa portare di notte qua, nella sò villa».

«Sequestro di persona».

«E si figurasse quanto si scanta don Balduccio per un sequestro di persona!».

«Lo minaccia?».

«A modo sò. Per dù jorni e per dù notti lo teni dintra a 'na càmmara completamente vacante, senza mangiari né viviri. Ogni tri ore nella càmmara trasiva uno con una pistola, mittiva il colpo in canna, taliava a Michilino, gli puntava l'arma, po' gli voltava le spalle e nisciva senza diri 'na parola. Al terzo jorno, quanno gli s'appresentò don Balduccio, scusannosi per avirlo fatto aspittare, vossia lo sapi com'è fatto don Balduccio tutto sorrisi e complimenti, Michilino gli si ghittò agginocchiuni davanti e, chiangenno, gli spiò l'onuri di potirisi maritare a Grazia. Quanno nascì il picciliddro, gli misiro il nome di Balduccio».

«E in seguito quali furono i rapporti tra Balduccio Sinagra e Prestia?».

«Passato un anno dal matrimonio, don Balduccio gli fici la proposta di lassare l'impiego alla Cozzo & Rampello e di travagliare per lui. Ma Michilino s'arrefutò. A don Balduccio disse che si scantava, che non era all'altizza. E don Balduccio lo lassò perdiri».

«E appresso?».

«Appresso, ma è robba di quattr'anni fa, a Michilino lo pigliò il vizio del joco. Fino a quanno i signori Cozzo e Rampello scoprirono un considerevole ammanco di cassa. Per rispetto a don Balduccio, non lo denunziarono, lo ficiro dimettere. Ma i soldi arrubbati Cozzo e Rampello li volivano narrè. Gli dettiro tempo tri misi».

«E lui li spiò a don Balduccio?».

«Certo. Ma don Balduccio lo mannò a farisi futtiri. Gli disse che non era manco un quaquaraquà».

«E Cozzo e Rampello l'hanno denunziato?».

«Nonsi. Pirchì alla scadenza dei tri misi, Michilino Prestia s'appresentò ai signori Cozzo e Rampello col contante in mano. Rimborsò tutto, fino all'ultimo centesimo».

«Chi glieli aveva dati?».

«Ciccio Bellavia».

Questo nome sì che l'accanosceva! E come! Ciccio Bellavia era stato l'astro sorgente degli «stiddrari», la mafia giovane che voliva fare le scarpe alla vecchia generazione dei Sinagra e dei Cuffaro. Po' aviva tradito i compagni ed era passato all'ordini dei Cuffaro, divintannone l'omo di fiducia.

Quindi darrè alle corse clandestine ci stava la mafia. E non potiva essiri diversamente.

«Fu Prestia a rivolgersi a Bellavia?».

«Nonsi, arriversa. Bellavia gli s'appresentò un jorno dicennogli che aviva saputo ch'era in difficoltà e che era pronto…».

«Ma Prestia non avrebbe dovuto accettare! Pigliare quei soldi era come proclamare che lui si metteva contro a Balduccio!».

«Non glielo dissi dal primo momento che Michilino

Prestia era un fissa? Un nenti ammiscato col nuddru? Don Balduccio l'aviva pittato dicennogli che non era manco un quaquaraquà. Non solo, ma ha dovuto ripagare a Bellavia pigliannosi la responsabilità delle corse clandestine. Non gli ha potuto dire di no. Quindi si è messo contro don Balduccio macari nel campo degli affari».

«Non lo vedo invecchiare serenamente a questo Prestia».

«Manco io, dottore. Ma, mi scusasse, continua a trovaricci 'na relazione tra l'ammazzatina del cavaddro e le curse?».

«Non so che dirti, Fazio. Tu non ce la trovi?».

«In un primo momento, quanno mi fici vidiri la vestia morta, se si ricorda, fui io a parlari delle curse clandestine. Ma ora non mi pare cchiù cosa».

«Spiegati».

«Dottore, ogni volta che facciamo 'na supposizione, ci viene puntualmente smentita. Vossia pensò che avivano arrubbato il cavaddro della forastera per fare uno sgarro a Lo Duca? E abbiamo saputo che macari un cavaddro di Lo Duca è stato arrubbato. Allura che bisogno c'era d'arrubbare quello della forastera?».

«D'accordo. Ma le corse?».

«Lo Duca, a quanto mi risulta, non ha niente a chiffare con le corse».

«Ne sei sicuro?».

«Al cento per cento no. Non ci posso mettiri la mano supra il foco. Però, non mi pare il tipo».

«Non ti fidare mai di quello che pare. Prestia, per

esempio, deci anni fa, l'avresti visto capace di controllare le corse?».

«Nonsi».

«E allura che mi vieni a contare che non ti pare il tipo? Ti dico un'altra cosa. Lo Duca va dicenno a tutti che la mafia l'arrispetta. O almeno l'arrispittava fino ad aieri. Tu lo sai pirchì lo dice? Tu lo sai di chi è amico e da chi è protetto?».

«Nonsi, dottore. Ma cercherò di saperlo».

«Lo sai indove si fanno 'ste corse?».

«Dottore, i posti cangiano squasi ogni volta. Ho saputo che una l'hanno fatta darrè villa Panseca...».

«Quella di Pippo Panseca?».

«Sissi».

«Ma che io sappia Panseca...».

«E infatti Panseca non ci trase. Forsi non ne sapi nenti. Siccome che dovette annare a Roma per una quinnicina di jorni, il guardiano affittò per una notti il terreno a Prestia. Glielo pagarono che quello s'accattò 'na machina nova. Un'altra volta la ficiro dalle parti della muntagna del Crasto. In genere, ce n'è una ogni simana».

«Un momento. Le fanno sempre di notte?».

«Certo».

«E come fanno a vederci?».

«Attrezzatissimi sono. Ha presente quanno girano un film che si portano appresso i generatori di corrente? Quelli che hanno loro sono capaci di illuminare tutto che pare jorno».

«Ma come fanno ad avvertire i clienti dell'ora e del posto?».

«Dottore, i clienti che contano, quelli che scommettono grosso, sono massimo massimo 'na trentina, 'na quarantina, gli altri sono scartine che se ci vanno, bene e se non ci vanno, meglio. Troppa gente con machine fa burdello periglioso».

«Ma come li avvertono?».

«Con telefonate in codice».

«Noi non possiamo farci niente?».

«Coi mezzi che abbiamo?».

Stette ancora un dù orate in commissariato, po' pigliò la machina per tornarisinni a Marinella. Prima di annare a conzare la tavola sulla verandina, gli vinni gana di farisi 'na doccia. In càmmara di mangiari, si livò dalle sacchette tutto quello che ci aviva dintra per posarlo supra al tavolino e accussì si vinni a trovare tra le mano il foglietto nel quale aviva scrivuto il nummaro del cellulare della Esterman. Gli vinni 'n testa che avrebbe dovuto spiarle 'na cosa. Lo potiva fari il jorno appresso, quanno si sarebbero 'ncontrati a Fiacca. Ma ce ne sarebbe stata la possibilità? Chi sa quanta gente avrebbe avuto torno torno. Non era meglio chiamarla ora che manco erano le otto e mezza? Arrisolvì che questa era la meglio.

«Pronto? Signora Esterman?».

«Sì. Chi parla?».

«Il commissario Montalbano sono».

«Eh, no! Non mi dica che ha cambiato idea!».

«Su cosa?».

«Ingrid mi ha detto che lei domani sarebbe venuto qua a Fiacca».

«Ci sarò, signora».

«Sono molto, molto contenta. Si lasci libero anche la sera, ci sarà una cena e lei figura tra i miei invitati».

Matre santa! La cena, no!

«Guardi che veramente domani sera…».

«Non trovi scuse stupide».

«Ci sarà anche Ingrid alla cena?».

«Non può fare un passo senza di lei?».

«No, vede, siccome è lei che m'accompagna a Fiacca, pensavo che per il ritorno…».

«Non si preoccupi, ci sarà anche Ingrid. Perché mi ha chiamato?».

«Io?».

La prospettiva della cena, della gente della quale avrebbe dovuto ascutare i discorsi, le probabili fitinzie che sarebbero state servite e che lui avrebbe dovuto agliuttiri macari se lo facivano vommitare, gli aviva fatto scordare d'avirla chiamata.

«Ah sì, mi scusi. Ma non vorrei rubarle altro tempo. Se domani può trovare cinque minuti…».

«Domani sarà un gran bel casino. Ora ho un po' di tempo perché mi sto preparando per andare a cena».

Con Guido? Un incontro a lume di cannila?

«Senta, signora…».

«Mi chiami Rachele».

«Senta, Rachele. Si ricorda d'avermi detto che venne avvertita dal guardiano della scuderia che il suo cavallo…».

«Sì, ricordo d'averglielo detto. Ma devo essermi sbagliata».

«Perché?».

«Perché Sciscì, perdoni, Lo Duca, mi ha detto che il povero guardiano notturno era all'ospedale. Eppure...».

«Dica, Rachele».

«Eppure sono quasi sicura che si presentò come il guardiano. Ma sa, dormivo, era mattina presto, io avevo fatto molto tardi...».

«Capisco. Lo Duca glielo ha detto a chi ha dato incarico di telefonarle?».

«Lo Duca quest'incarico non l'ha dato a nessuno. Tra l'altro, sarebbe stata una villanata nei miei confronti. Spettava a lui informarmi».

«E lo fece?».

«Certo! Mi telefonò da Roma verso le nove».

«E lei glielo disse che era stato preceduto?».

«Sì».

«Fece commenti?».

«Disse che forse era stato qualcuno della scuderia, ma di sua iniziativa».

«Ha ancora un minuto?».

«Senta, sono dentro a una vasca da bagno e me la sto godendo. Sentire la sua voce così vicina al mio orecchio in questo momento è... Lasciamo perdere».

Jocava pesante, Rachele Esterman.

«Lei mi ha detto che nel pomeriggio telefonò alla scuderia...».

«Ricorda male. Mi telefonò qualcuno dalla scuderia per dirmi che il cavallo non era stato ancora ritrovato».

«Disse chi era?».

«No».

«Era la stessa voce del mattino?».

«Mi… pare di sì».

«Di questa seconda telefonata ne ha parlato con Lo Duca?».

«No. Avrei dovuto?».

«Non era indispensabile. Bene, Rachele, io…».

«Aspetti».

Passò mezzo minuto di silenzio. La linea non era caduta pirchì Montalbano la sintiva respirare. Po' lei disse a mezza voci:

«Ho capito».

«Cosa ha capito?».

«Quello che lei sospetta».

«Cioè?».

«Che la persona che mi ha chiamata due volte non era della scuderia. Ma era qualcuno di quelli che hanno rubato e ammazzato il cavallo. È così?».

Sperta, beddra e intelligente.

«È così».

«Perché l'hanno fatto?».

«Al momento attuale non glielo so dire?».

Ci fu 'na pausa.

«Ah, senta. Si hanno notizie del cavallo di Lo Duca?».

«Se ne sono perse le tracce».

«Che strano».

«Bene, Rachele, non ho altre…».

«Le volevo dire una cosa».

«Me la dica».

«Lei... mi fa molta simpatia. Mi piace parlare con lei, stare con lei».

«Grazie» disse Montalbano tanticchia confuso non sapenno che altro dire.

Lei arridì. E lui se la vitti, nuda, dintra alla vasca, che arridiva ghittanno la testa narrè. Lungo la schina gli currì un addrizzuni di friddo.

«Domani non credo che potremo starcene un pochino tranquilli, noi due... Per quanto, si potrebbe forse...».

S'interrumpì come se le era vinuto un pinsero. Montalbano aspittò tanticchia, po' fici ehm ehm, priciso a come facivano nei romanzi 'nglisi.

Lei ripigliò a parlare.

«Ad ogni modo, ho deciso di trattenermi a Montelusa ancora tre o quattro giorni, mi pare di averglielo già detto. Spero che avremo modo di rivederci. A domani, Salvo».

Si fici la doccia e po' annò a mangiare nella verandina. Adelina gli aviva priparato una 'nzalata di purpiteddri bastevole per quattro pirsone e certi gamberoni giganti da condire solo con oglio, limone, sale e pepe nìvuro.

Mangiò e vippi arriniscenno a pinsare sulo a minchiate.

Poi si susì e telefonò a Livia.

«Perché ieri sera non mi hai chiamato?» fu la prima frase di lei.

Potiva dirle che si era 'mbriacato con Ingrid e che la telefonata gli era nisciuta di testa?

«Non ho proprio potuto».

«Perché?».

«Ero impegnato».

«Con chi?».

Bih, chi grannissima camurria!

«Come con chi? Coi miei uomini».

«Che facevate?».

Si scassò definitivamente i cabasisi.

«Abbiamo fatto una gara».

«Una gara?!».

«A chi sparava le cazzate più grosse».

«Hai vinto tu, naturalmente. Tu non hai rivali in questo campo!».

E accomenzò la solita, rilassante sciarriatina notturna.

Sei

La telefonata gli fici passare la gana di annare a corcarsi subito. Tornò ad assittarisi nella verandina, aviva bisogno di sbariarisi pinsanno a qualichi cosa che non arriguardava né Livia né la facenna del cavaddro.

La notti era calma ma scurusa assà, a stento si distinguiva la linea cchiù chiara del mari. Propio all'altizza della verandina, al largo, c'era la luci d'una lampara che l'oscurità faciva pariri più vicina di quant'era.

'Mproviso, tra palato e lingua, gli acchianò il sapore di una linguata appena fritta. Agliuttì a vacante.

Aviva deci anni quanno sò zio se l'era portato per la prima e ultima volta a piscari con la lampara dopo aviri dovuto prigare la mogliere per una sirata sana sana.

«E se 'u picciliddro cadi a mari?».

«Ma che ti veni 'n testa? Se cadi a mari lo ripeschiamo. Siamo in due, io e Ciccino, figurati!».

«E se senti friddo?».

«Dammi un maglioncino, se senti friddo glielo metto».

«E se gli veni sonno?».

«S'addrummisci 'n funno alla varca».

«E tu, Salvuzzu, ci vuoi annare?».

«Beh…».

Non aviva disidirato altro, tutte le volte che lo zio era nisciuto per annare a piscari. Finalmente sò zia aviva consentito facennogli milli raccomannazioni.

La notti, arricordava, era pricisa a questa, senza luna. Si vidivano tutte le luci della costa.

A un certo punto Ciccino, il marinaro sissantino che portava a remi la varca, aviva ditto:

«Addrumasse».

E lo zio aviva addrumato la lampara. 'Na luci squasi azzurrina, potentissima.

Aviva avuto la 'mpressione che il funno sabbioso del mari, di colpo, fosse acchianato a pelo d'acqua, completamente illuminato, e aviva viduto un banco di pisciteddri che, 'ngiarmati dalla luci, si erano di colpo fermati e taliavano verso la lampara.

C'erano miduse trasparenti, dù pisci che parivano serpenti, 'na speci di grancio che strisciava…

«Se ti sporgi accussì, cadi a mari» disse Ciccino a voci vascia.

Affatato, non si era manco reso conto che si era tanto calato fora dalla varca che a momenti toccava l'acqua con la facci. Sò zio stava addritta a puppa, con la traffinera a deci punte in cima a tri metri di manico, a sua volta legato al polso con tri metri di spaco.

«Perché» aviva spiato a Ciccino sempri a voci vascia per non fari scappare i pisci «ci sono altre due traffinere nella barca?».

«Una è traffinera di scoglio e l'autra di mari aperto. Una avi le punte cchiù resistenti e l'altra cchiù affilate».

«E quella che lo zio ha in mano cos'è?».

«Traffinera di rina. Voli pigliare linguate».

«E dove stanno?».

«Stanno ammucciate sutta alla rina».

«E lui come fa a vederle sotto la sabbia?».

«Le linguate si cummogliano appena e si vidino i dù puntini nìvuri dell'occhi. Talia, che li vidi macari tu».

Si era sforzato l'occhi, ma non aviva viduto i puntini nìvuri.

Po' aviva sintuto 'na scossa della varca, lo scruscio della traffinera che trasiva con forza nell'acqua e sò zio che diciva:

«Pigliata!».

'N cima alla fiocina 'na linguata granni quanto un vrazzo sò, si dibattiva ammatula. Doppo un dù orate, che aviva pigliato 'na decina di linguate grosse, lo zio addecise d'arriposarsi.

«Avi pititto?» gli spiò Ciccino.

«Tanticchia».

«Priparo?».

«Sì».

Tirati i remi a bordo, aviva rapruto 'na sacca e ne aveva cavato fora 'na padeddra e un fornelletto a gas, 'nzemmula a una buttiglia d'oglio, un cartoccio di farina e uno, nico, di sali. Lui taliava quei preparativi strammato. Come si faciva a mangiare a quell'ora di notti? Ciccino intanto aviva miso la padeddra sul fornelletto, ci aviva versato tanticchia d'oglio, aviva 'nfarinato dù linguate, le aviva mise a friiri.

«E tu?» aviva spiato lo zio.

«Io me la fazzo doppo. Sunno troppo granni, tri dintra alla padeddra nun ci stanno».

Sò zio, aspittanno la mangiata, gli aviva ditto che la difficoltà per piscare con la traffinera era la rifrangenza e gli aviva spiegato che era. Ma lui non ci accapì nenti, accapì sulo che il pisci ti pari ccà e inveci è tanticchia cchiù in là.

Appena le linguate si erano mise a friiri, l'aduri gli aviva fatto smorcare il pitito. Se l'era mangiata, tinennola supra un foglio di giornali e abbrusciannosi la vucca e le mano.

Nei quarantasei anni appresso, non aviva mai più ritrovato quel sapore.

I milanesi ammazzano al sabato era il titolo di un libro di racconti di Scerbanenco che aviva liggiuto tanti anni avanti. E ammazzavano il sabato pirchì negli altri giorni erano troppo occupati a travagliare.

I siciliani non ammazzano di domenica era inveci un possibile titolo di un libro che non era mai stato scritto da nisciuno.

Pirchì i siciliani la duminica vanno alla missa matutina con tutta la famiglia, po' vanno a fari visita ai nonni coi quali restano a mangiari, il doppopranzo si vidino la partita alla televisione e la sira, sempre con tutta la famiglia, si vanno a pigliare il gelato. Indove lo trovi il tempo per ammazzare a uno di duminica?

Perciò il commissario addecise che si sarebbe fatto la doccia cchiù tardo del solito, sicuro che nisciuna telefonata di Catarella sarebbi arrivata a disturbarlo.

Si susì, raprì la porta-finestra. Non una nuvola, non un filo di vento.

Annò in cucina, si priparò il cafè, ne inchì dù tazze, una se la vippi in cucina, l'altra se la portò nella càmmara di dormiri. Pigliò sicarette, accendino e posacinniri, li assistimò supra al commodino, si rimisi a letto stanno assittato a mezzo, con dù cuscini darrè le spalli.

Si vippi il cafè gustannosillo guccia a guccia e doppo s'addrumò 'na sicaretta, facenno la prima tirata con duplice sodisfazione. La prima era data dal gusto della nicotina doppo quello della caffeina, la secunna era pirchì quanno Livia stava corcata allato a lui era immancabile l'intimazione:

«O spegni quella sigaretta o mi alzo e me ne vado! Quante volte ti ho detto che non voglio che fumi in camera da letto?».

E lui era costretto ad astutare.

Ora invece potiva fumarisi il pacchetto intero stracatafuttennosene dell'universo criato.

«Non sarebbe il caso che tu pensassi un poco all'indagine?» gli spiò Montalbano primo.

«Ma lo vuoi lasciare tanticchia in pace?» intervenne Montalbano secunno in polemica con Montalbano primo.

«Per un poliziotto serio, la domenica è un giorno lavorativo come gli altri!».

«Ma se persino Dio s'arriposò al settimo giorno!».

Montalbano fici finta di non sintirli e continuò a fumari. Finita la sicaretta, si stinnicchiò longo dintra al letto e provò a chiuiri novamenti l'occhi.

A picca a picca, dintra alle nasche, accomenzò a trasirgli un sciauro leggio leggio, dolcissimo, un sciauro che subito gli fici viniri a menti a Rachele nuda dintra alla vasca da bagno...

Po' accapì che Adelina non aviva cangiato la federa del cuscino supra al quale s'era appuiata la testa di Ingrid dù notti avanti e che il calore del sò corpo ora stava facenno sprigionare il sciauro della pelli di lei.

Tentò di resistere per qualichi minuto, ma non ce la fici e dovitti susirisi dal letto a scanso di perigliosi sommovimenti nel sud.

La doccia squasi fridda gli fici passare i mali pinseri.

«Ma pirchì mali?» intervenne Montalbano primo. «Sono pinseri tutti boni e biniditti!».

«Con l'età che si ritrova?» spiò, maligno, Montalbano secunno.

Quanno dovitti vistirisi, gli nascì un problema.

La duminica Adelina non viniva e quindi, per mangiari, doviva per forza annare da Enzo. Ma da Enzo prima di mezzojorno e mezzo non si mangiava. Sarebbe nisciuto dalla trattoria un'orata e mezza appresso, vale a diri alle dù.

L'avrebbi avuto il tempo di tornare a Marinella e cangiarisi d'abito prima dell'arrivo di Ingrid? Quella, svidisa com'era, sarebbe arrivata alle tri spaccate.

No, la migliore era vistirisi bono già da subito.

Ma come? Per la cursa, sarebbi abbastato un vistito sportivo, ma per la cena? Potiva portarisi appresso 'na baligia con un vistito per il cangio? No, era riddicolo.

Addecise per un completo grigio che si era misso sulamente dù volte, un funerale e un matrimonio. Si vistì di tutto punto, cammisa e cravatta, scarpe che sbrilluccicavano. Si taliò allo specchio e si vitti comico.

Si livò tutto, restò in mutanne e s'assittò scunsulato supra al letto.

Tutto 'nzemmula pinsò che forsi una soluzione c'era: telefonare a Ingrid dicennole che gli avivano sparato 'n testa, che l'avivano fortunatamente pigliato di striscio e che quindi...

E se quella, scantata, s'apprecipitava a Marinella? Non c'era problema. Si faciva attrovare corcato con una gran fasciatura torno torno alla fronte, tanto in casa aviva garze e bende a tinchitè...

«Ma cerca di essere serio!» disse Montalbano primo. «Queste sono tutte scuse! La verità è che non hai voglia d'incontrare quelle persone!».

«E se non ne ha voglia è tenuto a incontrarle per forza? Dove sta scritto che deve assolutamente andare a Fiacca?» ribattì Montalbano secunno.

La conclusione fu che il commissario alle dodici e mezza s'appresentò da Enzo col vistito grigio e la cravatta, ma con una faccia...

«Morse qualcuno?» gli spiò Enzo vidennolo parato in quel modo e con una espressione da dù novembriro.

Montalbano santiò a mezza vucca, ma non gli arrispunnì. Mangiò svogliato. Alle tri meno un quarto era di novo a Marinella. Ebbe il tempo di darisi 'na rinfriscata che Ingrid arrivò.

«Sei elegantissimo» disse.

Lei era in jeans e cammisetta.

«Vieni vestita così anche alla cena?».

«Ma no! Mi cambio. Ho portato tutto».

Pirchì alle fìmmine gli viniva accussì facile livarisi e mittirisi il vistito mentri per l'omo era sempri 'na facenna assà complicata?

«Non puoi andare più piano?».

«Sto andando pianissimo».

Aviva mangiato picca e nenti, ma quel picca e nenti gli acchianava al gargarozzo ogni volta che Ingrid pigliava 'na curva minimo minimo a centovinti.

«Dove si fa la corsa?».

«Fuori Fiacca. Il barone Piscopo di San Militello ha fatto costruire un vero e proprio ippodromo, piccolo, ma perfettamente attrezzato, proprio dietro alla sua villa».

«E chi è il barone Piscopo?».

«Un sessantenne mite e cortese, dedito ad opere pie».

«I soldi se li è fatti con la mitezza?».

«I soldi glieli ha lasciati il padre, socio di minoranza di una grande acciaieria tedesca, e lui ha saputo farli fruttare. A proposito di soldi, ce ne hai con te?».

Montalbano strammò.

«Si paga per assistere alla corsa?».

«No, ma si scommette sulla vincitrice. In un certo senso, è obbligatorio scommettere».

«C'è un totalizzatore?».

«Ma dai! I soldi delle scommesse vanno in beneficenza».

«E a chi ha vinto la puntata che gliene viene?».

«La vincitrice ricompensa con un bacio chi ha scommesso su di lei. Ma qualcuno non l'accetta».

«Perché?».

«Dicono per galanteria. Ma la verità è che certe volte la vincitrice è semplicemente orrenda».

«Puntano forte?».

«Non tanto».

«Quanto approssimativamente?».

«Mille, duemila euro. Ma c'è chi punta di più».

Minchia! E quant'era 'na puntata forte per Ingrid? Un milione di euro? Sintì che accomenzava a sudari.

«Ma io non...».

«Non ce li hai?».

«In tasca ne ho sì e no cento».

«Ce l'hai il libretto degli assegni?».

«Sì».

«Meglio. È più elegante un assegno».

«Va bene, ma di quanto?».

«Tu faglielo di mille».

Tutto si potiva diri di Montalbano, meno che era avaro o tirato. Ma annare a ghittare mille euro per assistere a 'na cursa 'n mezzo a 'na marea di strunzi non gli parse veramenti cosa.

Arrivaro a trecento metri dalla villa del barone Piscopo, ma vinniro fermati da uno che indossava 'na livrea nova nova, pariva scinnuto da un quatro del seicento, l'unica cosa che stonava era la facci dell'omo che dava la 'mpressione d'essiri nisciuto allura allura da Sing Sing doppo 'na trentina d'anni passati al frisco.

«Non si può annare avanti con la machina» disse il galeotto.

«Perché?».

«Non c'è cchiù posto».

«E come facciamo?» spiò Ingrid.

«Vanno a pedi. Mi lassasse le chiavi che la machina gliela assistemo io».

«M'hai fatto arrivare tardi» si lamentò Ingrid mentre pigliava 'na speci di sacco dal portabagagli.

«Io?».

«Sì. Col tuo continuo vai piano, vai piano...».

Machine da tutti e dù i lati della strata. Machine stipavano il patio grannissimo. Davanti al portoni dell'enorme villa a tri piani più torretta ci stava un altro tipo con una livrea tutta ghirigori d'oro. Il maggiordomo? Potiva aviri un minimo di novantanovi anni e per non crollare si tiniva appuiato a 'na speci di bastone pastorale.

«Buongiorno, Armando» gli disse Ingrid.

«Buongiorno, signora. Sono tutti fuori» disse Armando con una voci sottile come 'na filinia.

«Li raggiungiamo subito. Prenda questo» fici pruiennogli il sacco «e lo metta nella camera della signora Esterman».

Armando pigliò il sacco leggerissimo con una mano, ma il piso lo fici abbuccari di lato. Montalbano lo sostenne. Quello sarebbe abbuccato macari se una musca gli si posava supra a 'na spalla.

Traversarono una hall tipo albergo vittoriano a deci stelle, un altro cammarone immenso chino chino di ritratti d'antenati, un secunno cammarone, cchiù granni ancora, chino chino d'armature che aviva tri portefinestre in fila, aperte supra a un vialone alberato. Fino ad allura, a parte l'ergastolano e il maggiordomo, non avivano 'ncontrato anima criata.

«Ma gli altri dove sono?».

«Sono già lì. Svelto».

Il vialone annava dritto per una cinquantina di metri, po' si dividiva in dù viali, uno a dritta e l'altro a manca.

Appena che Ingrid ebbe imboccato il viale a manca, chiuso da altissime siepi, a Montalbano arrivò una gran battaria di voci, di richiami, di risate.

E tutto 'nzemmula s'attrovò in un prato con tavolini e seggie, ombrelloni, sdraio. C'erano macari dù tavole longhe longhe con cose da mangiare e da viviri e relativi cammareri in giacca bianca. A parte c'era 'na casuzza di ligno con una finestra darrè alla quali ci stava un omo, davanti c'era 'na fila di genti.

Il prato era affollato da un minimo di tricento pirsone tra mascoli e fìmmine, chi assittato e chi addritta, che parlavano e ridivano a gruppi. Oltre il prato, s'intravidiva il cosiddetto ippodromo.

Le pirsone erano vistute che pariva cannalivari: tra i mascoli c'era chi era vistuto da cavallerizzo, chi da ricevimento della regina d'Inghilterra con tanto di cilindro, chi in jeans e maglione a girocollo, chi da tirolese, chi in divisa da guardia forestale (almeno accussì gli parse), uno addirittura s'era parato come un arabo e un altro stava in pantaloncini corti e ciavatte da spiaggia. Tra le fìmmine c'erano quelle che portavano cappelli tanto granni che ci potiva atterrare un elicottero, chi era in minigonna a livello ascellare e chi in un lungo tale che chi ci passava vicino inevitabilmente c'inciampicava rischianno di rumpirisi l'osso del coddro, una era col tubino e il vistito da cavallerizza dell'ottocento, 'na picciotta vintina portava pantaloncini aderentissimi di jeans che si potiva permettere dato il notevole posteriore di cui matre natura l'aviva addotata.

Quanno finì di taliare, s'addunò che Ingrid non era cchiù allato a lui. Si vitti perso. Gli vinni, potentissima, la tintazione di voltare le spalle, rifare il vialone e i saloni della villa, raggiungere la machina di Ingrid, 'nfilarisicci dintra e...

«Ma lei è il commissario Montalbano!» fici 'na voci mascolina.

Si voltò. La voci appartiniva a un quarantino sicco sicco e longo longo con una sahariana cachi, cazùna corti, calzittuna, un casco coloniale 'n testa e un binocolo a tracolla. Aviva macari 'na pipa 'n vucca. Forsi si cridiva in India ai tempi dell'inglisi. Gli pruì 'na mano sudatizza e molle che pariva pani vagnato.

«Ma che piacere! Sono il marchese Ugo Andrea di Villanella. Lei è parente del tenente Colombo?».

«Il tenente dei carabinieri di Fiacca? No, non sono…».

«Non parlavo del tenente dei carabinieri, ma di quello della televisione, sa, quello con l'impermeabile e con la moglie che non si vede mai…».

Ma era cretino o lo voliva pigliari per il culo?

«No, sono gemello del commissario Maigret» arrispunnì sgarbato.

L'altro parse sdilluso.

«Non conosco, mi dispiace».

E s'allontanò. Decisamente un cretino, un cretino macari tanticchia pazzo.

Si fici avanti un altro, vistuto come un giardiniere, con una parannanza lorda che fitiva e con una pala in mano.

«Lei mi pare nuovo».

«Sì, è la prima volta che…».

«Su chi ha scommesso?».

«Veramente ancora non ho…».

«Lo vuole un consiglio? Scommetta su Beatrice della Bicocca».

«Io non…».

«Lo conosce il tariffario?».

«No».

«Glielo recito. Se sganci un mille risicato / un bacio in fronte ti verrà dato. / Se punti un cinquemila, la Bicocca / ti darà un bel bacio sulla bocca. / Con diecimila, ci potrai contare / che a lingua in bocca si farà baciare».

Fici un inchino e sinni annò.

Ma in che minchia di manicomio era capitato? E po', quella di Beatrice della Bicocca, non era concorrenza sleale?

Sette

«Salvo, vieni!».

Finalmenti vitti a Ingrid che lo chiamava agitando un vrazzo. S'addiresse verso di lei.

«Il dottor Montalbano. Il padrone di casa, il barone Piscopo di San Militello».

Il barone, che era un omo sicco e àvuto, era vistuto priciso 'ntifico a uno che aviva viduto in una pillicula che comannava la caccia alla volpe. Sulo che l'attore della pillicula aviva la giacchetta rossa, mentre quella del barone era virdi.

«Lei è il benvenuto, dottore» disse il barone pruiennogli la mano.

«Grazie» fici Montalbano stringennogliela.

«Si trova bene?».

«Benissimo».

«Sono contento».

Il barone lo taliò sorridente e battì con forza le mano. Il commissario si sintì confuso. Che doviva fari? Doviva battiri le mano macari lui? Capace che era un uso tra quella genti in quelle occasioni come signo di contintizza. Allura battì forti le mano. Il barone lo taliò tanticchia strammato, Ingrid si misi a ridiri. In quel momento un cammarere in livrea pruì al barone 'na trumma 'nturciuniata. Ecco pirchì il barone aviva battuto le mano, chiamava il cammarere! Mentri Montalbano arrussicava per la malafiura, il barone portò alle labbra la trumma e sonò. Niscì un sono accussì forte che parse il signale di carrica alla cavalleria. La testa di Montalbano, che aviva la grecchia a deci centimetri dalla trumma, 'ntronò.

Si fici silenzio di colpo. Il barone ripassò la trumma al cammareri e pigliò il microfono che quello gli pruiva.

«Ladies and gentlemen! Un momento d'attenzione, prego! Faccio presente che tra dieci minuti il botteghino chiude e non sarà più possibile scommettere!».

«Ci scusi, barone» fici Ingrid piglianno a Montalbano per una mano e trascinannosillo appresso.

«Dove andiamo?».

«A scommettere».

«Ma se non so manco chi corre?».

«Guarda, le favorite sono due. Benedetta di Santo Stefano e Rachele, malgrado non corra col suo cavallo».

«Com'è questa Benedetta?».

«Una nana coi baffi. Vorresti farti baciare da lei? Non fare il cretino, tu devi puntare su Rachele, come me».

«E Beatrice della Bicocca com'è?».

Ingrid si fermò di colpo, 'mparpagliata.

«La conosci?».

«No. Volevo solo sapere...».

«È una troia. A quest'ora si starà facendo scopare da qualche stalliere. Lo fa sempre prima della corsa».

«Perché?».

«Perché dice che dopo sente meglio il cavallo. Sai che i piloti di Formula 1 sentono col sedere come va la macchina? Beatrice sente come va il cavallo con la...».

«Va bene, va bene, ho capito».

Compilarono gli assegni supra a un tavolino che attrovarono libero.

«Tu aspettami qua» gli disse Ingrid.

«Ma no, vado io» fici Montalbano.

«Guarda, c'è la fila. A me mi lasciano passare avanti».

Non sapenno chiffare, s'avvicinò a uno dei tavolini conzati. Tutto quello che c'era stato da mangiari, se l'erano sbafato. Nobili sì, ma affamati peggio di 'na tribù del Burundi doppo la siccità.

«Desidera qualcosa?» gli spiò un cammarere.

«Sì, un J&B liscio».

«Non c'è più whisky, signore».

Doviva assolutamente viviri qualichi cosa a scopo rianimativo.

«Un cognac».

«Terminato anche il cognac».

«Avete qualcosa d'alcolico?».

«No, signore. Sono rimaste aranciate e Coca-cola».

«Un'aranciata» disse cadenno nella depressione prima ancora d'accomenzare a viviri.

Ingrid arrivò di cursa con dù ricevute 'n mano mentre il barone sonava 'na secunna carrica di cavalleria.

«Dai, vieni, il barone ci chiama all'ippodromo».

E gli dette la sò ricevuta.

L'ippodromo era nico e semplicissimo. Consisteva in una granni pista circolare contornata ai due lati da steccati vasci fatti di rami d'àrbolo.

C'erano macari dù torrette di ligno, ancora senza pirsone supra. Le gabbie di partenza, sei, ancora vacanti, erano allineate in funno alla pista. Gli invitati si potivano mettiri torno torno al percorso stanno addritta.

«Mettiamoci qua» disse Ingrid. «Siamo vicini all'arrivo».

S'appuiaro alla staccionata. A picca distanza c'era 'na striscia bianca addisignata in terra, che doviva essiri il traguardo, e alla sò altizza, ma dalla parte interna, ci stava una delle torrette destinata forsi ai giudici di gara.

Supra all'altra torretta spuntò il barone Piscopo con il microfono 'n mano.

«Attenzione, prego! I signori giudici di gara, conte Emanuele della Tenaglia, colonnello Rolando Romeres, marchese Severino di San Severino, prendano posto in torretta!».

'Na parola. Alla piattaforma della torretta si arrivava con una scaletta di ligno, chiuttosto scommoda. Considerato che il più picciotto, il marchisi, pisava minimo centoventi chili, che il colonnello era un ottantino col trimolizzo e il conte aviva la gamba mancina rigida, il quarto d'ora che ci misiro ad arrivari in cima fu, sostanzialmente, un record.

«Una volta ci hanno impiegato tre quarti d'ora a salire» disse Ingrid.

«Sono sempre gli stessi?».

«Sì. Per tradizione».

«Attenzione, prego! Le gentili amazzoni si portino con i cavalli nelle gabbie loro assegnate!».

«Come le assegnano le gabbie?» spiò Montalbano.

«Per sorteggio».

«Come mai Lo Duca non si vede?».

«Sarà con Rachele. Il cavallo col quale lei corre è suo».

«Sai quale gabbia le è stata assegnata?».

«La prima, quella più vicina alla parte interna».

«E non poteva essere diversamente!» commentò un tale che aviva sintuto il discorso dato che s'attrovava a manca di Montalbano.

Il commissario si voltò verso di lui. Il tale era un cinquantino sudatizzo, con una testa accussì pilata e sbrilluccicante che faciva malo all'occhi taliarla.

«Che vuole dire?».

«Quello che ho detto. Con Guido Costa che sovrintende, hanno il coraggio di chiamarlo sorteggio!» fici il sudatizzo sdignato allontanannosi.

«Ma tu hai capito che voleva dire?» spiò a Ingrid.

«Ma sì! Le solite malelingue! Siccome a Guido è affidato il sorteggio, il signore sosteneva che il sorteggio è stato falsificato a favore di Rachele».

«Ma questo Guido sarebbe...».

«Sì».

Dunque nell'ambiente era cosa cognita che c'era 'na filama tra i dù.

«Quanti giri fanno?».

«Cinque».

«Attenzione, prego! Da questo momento in poi lo starter può dare il segnale di partenza quando lo riterrà opportuno».

Non passò manco un minuto che si sintì un colpo di pistola.

«Partiti!».

Montalbano s'aspittava che il barone si mittiva a fari lo speaker, commentando la cursa, ma quello invece s'azzittì, posò il microfono, e agguantò un binocolo.

Alla fine del primo giro, Rachele era terza.

«Chi sono le due in testa?».

«Benedetta e Beatrice».

«Pensi che Rachele ce la farà?».

«Non si può dire. Sai, con un cavallo che non conosce…».

Po' si sintì 'na gran vociata e ci fu, nella parti opposta della pista, un movimento di curri curri.

«Beatrice è caduta» disse Ingrid. E aggiungì, malignamente:

«Forse non è stata messa in condizione di sentire bene il cavallo».

«Ladies and gentlemen. Vi informo che l'amazzone Beatrice della Bicocca è caduta ma senza alcuna conseguenza, per fortuna».

Al secunno giro, Benedetta era sempre in testa, ma la seguiva una cavallerizza che il commissario non accanosciva.

«Chi è?».

«Veronica del Bosco, non dovrebbe essere pericolosa per Rachele».

«Ma come mai Rachele non ha approfittato della caduta?».

«Boh».

Al principio dell'ultimo giro, Rachele passò in secunna posizione. Per un cintinaro di metri ingaggiò un serrato duello testa a testa, veramente entusiasmante, con Benedetta, mentri la genti pariva nisciuta pazza, tanto faciva voci. Montalbano stisso si trovò a gridare:

«Rachele! Forza, Rachele!».

Po', a trenta metri dal traguardo, il cavaddro di Benedetta parse aviri dudici gambe e per Rachele non ci fu cchiù nenti da fari.

«Peccato!» disse Ingrid. «Col suo cavallo avrebbe sicuramente vinto. Ti dispiace?».

«Beh, un pochino».

«Soprattutto perché non avrai il bacio da Rachele, vero?».

«E ora che facciamo?».

«Ora il barone leggerà i risultati».

«Quali risultati? Sappiamo già chi ha vinto».

«Sono interessanti. Aspetta».

Montalbano s'addrumò 'na sicaretta. Tri o quattro pirsone che gli stavano vicine si scansarono taliannolo sdignate.

«Ladies and gentlemen!» fici il barone dalla torretta. «Ho il piacere d'annunciarvi che la cifra totale delle scommesse ammonta a seicentomila euro! Ve ne sono veramente grato!».

A considerare che erano tricento presenti, e che erano o d'alto lignaggio o òmini d'affari o possidenti, non si potiva propio diri che si erano spremuti.

«L'amazzone che ha raccolto il più alto numero di scommesse è stata la signora Rachele Esterman!».

Ci fu un applauso. Rachele aviva perso la cursa, ma era quella che aviva fatto incassare di più.

«Prego i signori invitati di non sostare nel prato sul quale dovranno essere allestiti i tavoli per la cena, ma di intrattenersi nei saloni della villa».

Quanno Montalbano e Ingrid voltarono le spalli alla pista, l'ultima cosa che vittiro furono dù cammareri che, imbracato il colonnello Romeres, lo calavano dalla torretta.

«Vado a cambiarmi» disse Ingrid scappanno. «Ci vediamo tra un'oretta nel salone degli antenati».

Montalbano annò nel salone, attrovò 'na pultruna misteriosamente libera e s'assittò. Doviva fari passare un'orata soprattutto senza pinsari a quello di cui si era reso conto mentre taliava la cursa e che l'aviva fatto pigliari di nirbùso. Si era addunato che ci vidiva picca, inutile negarlo. Ogni volta che i cavaddri facivano l'altro mezzo giro di pista, quello opposto a indove s'attrovava lui, non era cchiù capace di distinguere i culura delle casacche delle cavallerizze. Tutto gli s'impastava, i contorni si pirdivano. Se non era per Ingrid non avrebbe manco accapito che a cadiri era stata Beatrici della Bicocca.

«Embè? Che ci trovi di strammo?» spiò Montalbano primo. «È la vicchiaia, Mimì Augello aviva ragione!».

«Ma che stronzate dici?» s'arribbillò Montalbano secunno. «Mimì Augello dice che per leggiri lui teni le vrazza stise. E questa è presbiopia, tipica della vicchiaia. Mentre qua si sta parlanno di miopia, che non ci trase nenti di nenti con l'età!».

«E allura cu ci trase?».

«Talè, può essiri la stanchizza, un calo momentaneo...».

«Ad ogni modo, irisi a fari dari un'occhiata non sarebbi...».

La discussione fu interrotta da uno che si piazzò addritta davanti alla pultruna.

«Commissario Montalbano! Rachele mi aveva detto che lei era qua, ma non riuscivo a trovarla».

Era Lo Duca. Cinquantino, alto, distintissimo, abbronzatissimo a forza di lampata solari, sorriso sparluccicantissimo, capilli pipi e sali pittinatissimi. Dovivi per forza usare i superlativi, con lui. Montalbano si susì, si stringero le mano. Era macari profumatissimo.

«Perché non andiamo fuori?» proponì Lo Duca. «Qua dentro non si respira».

«Ma il barone ha detto...».

«Lasci perdere il barone, venga con me».

Riattraversarono il saloni delle armature, niscero fora da una delle porte-finestre ma invece di pigliari il vialone, Lo Duca girò subito a mano manca. Qui c'era un jardino assà ben curato, con tri gazebi. Dù erano accupati, ma il terzo era libero. Accomenzava a fari scuro, ma la luci di uno dei gazebi era addrumata.

«Vuole che accenda?» disse Lo Duca. «Ma, mi creda, è meglio di no. Saremmo mangiati vivi dalle zanzare. Cosa che del resto avverrà durante la cena».

C'erano dù commode poltrone di vimini e un tavolinetto con supra un vasetto di sciuri e un posacinniri. Lo Duca tirò fora un pacchetto di sicarette e lo spurgì verso il commissario.

«Grazie, preferisco le mie».

Si addrumaro le sicarette.

«Mi scusi se entro subito in argomento» disse Lo Duca. «Forse lei ora non ha voglia di parlare di questioni di lavoro, ma…».

«Non si faccia scrupolo».

«Grazie. Rachele» attaccò Lo Duca «mi ha detto che è venuta al commissariato per denunziare il furto del suo cavallo, ma che poi non l'ha fatto quando lei le ha riferito che era stato ammazzato».

«Già».

«Rachele era forse troppo sconvolta quando lei le ha detto che il cavallo era stato eliminato con particolare brutalità, infatti non è stata in grado di essere più precisa…».

«Già».

«Ma lei come l'ha saputo?».

«È stato un caso. Il cavallo è venuto a morire proprio sotto le finestre di casa mia».

«Ma è vero che, dopo, hanno fatto sparire la carcassa?».

«Già».

«Lei ha idea del perché?».

«No. E lei?».

«Forse sì».

«Me la dica, se vuole».

«Certo che gliela dico. Se e quando sarà ritrovato il corpo di Rudy, il mio cavallo, probabilmente si vedrà che è stato ammazzato come l'altro. Si tratta di una vendetta, commissario».

«Questa sua ipotesi l'ha detta ai miei colleghi di Montelusa?».

«No. Come lei, a quanto mi risulta, non ha ancora detto ai suoi colleghi di Montelusa di aver ritrovato morto il cavallo di Rachele».

Bell'affondo, sicuramente. Lo Duca sapiva tirare bono di scherma.

Abbisognava annarci cauti.

«Ha detto vendetta?».

«Sì».

«Potrebbe essere più chiaro?».

«Sì. Tre anni fa ebbi un'accesa discussione con uno di quelli che badano ai miei cavalli e, in un accesso d'ira, lo colpii alla testa con una spranga di ferro. Non credevo di fargli tanto male, ma è rimasto invalido. Naturalmente non solo ho provveduto a tutte le spese per le cure, ma gli passo un mensile pari alla paga che prendeva».

«Ma se le cose stanno così, perché quest'uomo avrebbe dovuto…».

«Guardi, da tre mesi sua moglie non ne ha più notizie. Non ci stava più con la testa. Un giorno è uscito mormorando minacce contro di me e non l'hanno più visto. Corre voce che si sia messo con dei malavitosi».

«Mafiosi?».

«No. Malavitosi. Delinquenti comuni».

«Ma questo signore perché non si è limitato a rubare e ad ammazzare il suo cavallo e invece ha preso pure quello della signora Esterman?».

«Io non credo che, al momento di rubarlo, sapesse che quel cavallo non era mio. L'avrà saputo subito dopo».

«Nemmeno di questo ha parlato con i colleghi di Montelusa?».

«No. E non credo che gliene parlerò».

«Perché?».

«Perché ritengo che sarebbe infierire contro un disgraziato della cui infermità mentale sono responsabile io».

«E perché l'ha raccontato a me?».

«Perché mi è stato detto che lei, quando vuole capire, capisce».

«Dato che io sono uno che capisce, come dice lei, mi può dire il nome di questa persona?».

«Gerlando Gurreri. Ma ho la sua parola che questo nome non lo farà con nessuno?».

«Può stare tranquillo. Però lei mi ha spiegato il movente, ma non mi ha detto perché hanno fatto sparire la carcassa».

«Io credo che Gurreri, come le ho detto, ha rubato i due cavalli credendoli tutti e due miei. Ma qualcuno dei suoi complici gli avrà rivelato che uno era di Rachele. Allora l'hanno ammazzato e hanno fatto scomparire la carcassa per lasciarmi cuocere nel dubbio».

«Non ho capito».

«Commissario, lei come fa ad avere la certezza che il cavallo che ha visto morto sulla spiaggia era quello di Rachele e non il mio? Facendone scomparire i resti, hanno reso impossibile l'identificazione. E così, lasciandomi in questa incertezza, rendono più amara la mia pena. Perché io ci ero molto affezionato a Rudy».

Il ragionamento potiva macari filare.

«Mi levi una curiosità, signor Lo Duca. Chi è stato ad avvertire la signora del furto del cavallo?».

«Credevo di essere stato io. Ma a quanto pare sono stato preceduto».

«Da chi?».

«Boh, forse da uno dei due che badano ai cavalli. Rachele del resto aveva lasciato al custode i numeri di telefono dov'era possibile raggiungerla. Il custode, quel foglio coi numeri, lo teneva appeso dietro la porta di casa. C'è ancora. Ma ha importanza?».

«Sì, molta».

«Si spieghi meglio».

«Vede, signor Lo Duca, se nessuno della sua scuderia ha chiamato la signora Esterman, questo vuol dire che a farlo è stato Gerlando Gurreri».

«E perché l'avrebbe fatto?».

«Forse perché pensava che lei, fino all'ultimo, avrebbe cercato di non mettere al corrente la signora Esterman del furto del cavallo nella speranza di ritrovarlo al più presto, magari pagando un grosso riscatto».

«In altri termini, per farmi perdere la faccia e sputtanarmi davanti a tutti?».

«Può essere un'ipotesi, non le pare? Ma se lei mi dice che Gurreri, quasi fuori di testa com'è, non è in condizioni di ragionare così sottilmente, allora la mia ipotesi cade».

Lo Duca stetti a pinsarisilla tanticchia.

«Beh» disse a un certo momento. «Può darsi che ad architettare la storia della telefonata non sia stato Gurreri, ma qualcuno dei delinquenti coi quali si è associato».

«Anche questo è probabile».

«Salvo, dove sei?».

Era Ingrid che lo chiamava.

Otto

Saverio Lo Duca si susì. Montalbano puro.

«Mi dispiace d'averla importunata così a lungo, ma, lei capirà, non ho voluto perdere la preziosa occasione che mi si presentava».

«Salvo, dove sei?» fici ancora Ingrid.

«Ma s'immagini! Anzi sono io che devo sinceramente ringraziarla per quello che ha voluto dirmi con tanta cortesia».

Lo Duca accennò a un inchino. Montalbano macari.

Manco nell'ottocento, tra il visconte di Castelfrombone, cui il Buglione fu antenato, e il duca di Lomanto, di quartettocetresca memoria, si sarebbe potuto svolgere un dialogo accussì eleganti e forbito.

Girarono l'angolo. Ingrid, elegantissima, stava davanti a 'na porta-finestra e taliava torno torno.

«Sono qua» fici il commissario isanno un vrazzo.

«Mi scusi se la lascio, ma devo incontrarmi con...» disse Lo Duca allunganno il passo e non dicenno con chi si doviva 'ncontrari.

In quel momento si sintì un potenti colpo di gong. Forsi gli avivano mittuto un microfono davanti, fatto sta che parse il principio di un tirrimoto. E tirrimoto fu.

Dall'interno della villa rimbombò un coro disordinato e orgiastico:

«Hanno suonato! Hanno suonato!».

E po' tutto quello che vinni appresso fu priciso 'ntifico a 'na valanga o al tracimamento di un fiume. Ammuttannosi, spingennosi, truppicanno, urtannosi, dalle tri porte-finestre si riversò nel vialone un'ondata di piena fatta di mascoli e fimmine vocianti. In un attimo, Ingrid non si vitti cchiù, pigliata 'n mezzo, vinni irresistibilmente trascinata avanti. Si voltò verso di lui, raprì la vucca, disse qualichi cosa, ma le paroli non s'accapero. Pariva il finale d'una pillicula tragica. Sturduto, Montalbano aviva avuto la 'mpressione che nella villa era scoppiato un incendio violento, ma le facci allegre di tutti quelli che currivano alla dispirata, gli fici subito accapire che si stava sbaglianno. Si scansò per non essiri travolto e aspittò che la sciumara passasse. Il gong aviva annunziato che la cena era pronta. Ma com'è che avivano sempri fami 'sti nobili, 'sti imprenditori, 'sti òmini d'affari? S'erano già puliziati dù tavolate d'antipasti e pariva che non avivano mangiato da 'na simanata.

Quanno l'ondata si esaurì in un ultimo rivoletto di tri o quattro ritardatari che currivano come centometristi, Montalbano osò rimettiri pedi supra al vialone. Valla a trovari ora a Ingrid! E se inveci di annare a mangiare, si faciva dari dall'ergastolano le chiavi della machina, ci s'infilava dintra e si faciva un dù orate di sonno? Gli parse propio 'na gran bella pinsata.

«Commissario Montalbano!» si sintì chiamari da 'na voci fimminina.

Si voltò verso il salone dal quale era allura allura nisciuta Rachele Esterman. Allato a lei ci stava un cinquantino vistuto di grigio scuro, àvuto quanto la fìmmina, con pochi capilli, e 'na facci da spia perfetta.

Con facci da spia il commissario intendeva 'na facci assolutamente anonima, di quelle che macari se l'hai avuta prisente per una jornata intera, il jorno appresso non te l'arricordi cchiù. Le facci alla James Bond non sunno facci da spia, pirchì 'na volta che l'hai viduta non te la scordi e questo viene a significari un grosso periglio di riconoscimento da parte degli avversari.

«Guido Costa. Il commissario Montalbano».

Il quale commissario Montalbano dovitti fari un notevole sforzo per non taliare cchiù a Rachele e voltare lo sguardo verso Costa. Appena l'aviva viduta, era restato affatato. Era vistuta con una speci di sacco nìvuro tinuto dalle spalline sottilissime che le arrivava alle ginocchia. Aviva gambe cchiù longhe e cchiù belle di quelle di Ingrid. I capilli sciolti supra le spalli, un cerchietto di petri priziuse torno torno al collo. In mano tiniva 'na mantillina.

«Vogliamo andare?» disse Guido Costa.

Aviva 'na voci da doppiatore di pillicule porno, una di quelle voci càvude e profunne che sono utilizzate in queste pillicule per sussurrare cose vastase alle grecchie delle fìmmine. Forse doviva aviri qualità segrete, l'insignificante Guido.

«Chissà se troveremo posto» disse Montalbano.

«Non si preoccupi» fici Rachele «ho un tavolo riservato per quattro. Sarà un'impresa rintracciare Ingrid, però».

Non fu un'imprisa. Ingrid li aspittava, addritta, al tavolo riservato.

«Ho incontrato Giogiò!» disse allegra Ingrid.

«Ah, Giogiò!» fici Rachele con un sorriseddro.

Montalbano intercettò 'na taliata di complicità tra le dù fìmmine e accapì tutto. Giogiò doviva essiri stato 'na vecchia filama di Ingrid. E chi diciva che la minestra riscaldata non era bona, capace che nel caso specifico si sbagliava. Si scantò che a Ingrid viniva 'n testa di passari la nuttata col ritrovato Giogiò e lui avrebbi dovuto annarsene a dormiri in machina fino al matino.

«Ti dispiace se vado al tavolo di Giogiò?» spiò Ingrid al commissario.

«Per niente».

«Sei un angelo».

Si calò, lo vasò supra la fronti.

«Però…».

«Tranquillo. Ti vengo a prendere finita la cena e ce ne torniamo a Vigàta».

S'apprisentò il capocammareri che aviva assistito alla scena e levò il coperto di Ingrid.

«Qui le va bene, signora Esterman?».

«Sì, Matteo, grazie».

E mentri il capocammareri s'allontanava, spiegò a Montalbano:

«Ho detto a Matteo di riservarci un tavolo ai margini della zona illuminata. Un po' scomodo per mangiare, ma in compenso saremo in parte risparmiati dalle zanzare».

Nel prato c'erano decine e decine di tavoli da quattro a deci posti, illuminati dalla luci violenta di 'na poco di riflettori montati supra a quattro torrette di ferro. Sicuramente stormi di milioni e milioni di moschitte provenienti da Fiacca e pàisi limitrofi stavano allegramente convergendo verso quella gran luminaria.

«Guido, per favore, ho dimenticato le sigarette in camera mia».

Senza 'na parola, Guido si susì e s'avviò verso la villa.

«Ingrid mi ha detto che ha puntato su di me. Grazie. Le devo un bacio».

«Ha fatto una bella corsa».

«Col povero Super avrei sicuramente vinto. A proposito, mi sono persa Sciscì, Lo Duca, mi scusi. Volevo farglielo conoscere».

«Ci siamo conosciuti e abbiamo anche parlato».

«Ah, sì? Le ha detto la sua ipotesi sul furto dei due cavalli e sul perché hanno ucciso il mio?».

«L'ipotesi della vendetta?».

«Sì. La ritiene plausibile?».

«Perché no?».

«Sa, Sciscì è stato un vero gentiluomo. Voleva a tutti i costi risarcirmi per la perdita di Super».

«Ha rifiutato?».

«Certamente. Che colpa ne ha lui? Indirettamente, forse... Ma poveraccio è rimasto così mortificato... Anche perché io l'ho preso un po' in giro».

«Che gli ha detto?».

«Beh, vede, lui si vanta di essere rispettatissimo in Sicilia, va dicendo che nessuno s'azzarderebbe mai a fargli un torto e invece…».

S'appresentò un cammareri con tri piatti, li distribuì e sinni annò.

Era 'na ministrina giallastra con striature virdognole, il cui aduri stava tra la birra marciuta e la trementina.

«Aspettiamo Guido?» spiò Montalbano.

Non per bona educazioni, ma semplicementi per arricogliere il coraggio nicissario a mittirisi 'n vucca la prima cucchiarata.

«Ma no. Si raffredda».

Montalbano inchì il cucchiaro, se lo portò alle labbra, chiuì l'occhi e agliuttì. Spirava che almeno aviva quel sapori-non sapori delle ministrine del «Boccone del povero», invece era pejo. Abbrusciava il cannarozzo. L'avivano forsi condita con l'acito muriatico. Alla secunna cucchiarata, mezzo assuffocato, raprì l'occhi e s'addunò che, in un vidiri e svidiri, Rachele se l'era mangiata tutta pirchì aviva davanti il piatto vacante.

«Se non le va, la dia a me» disse Rachele.

Ma com'era possibili che le piaciva quella gran fitinzia? Le passò il piatto.

Lei lo pigliò, si calò tanticchia di lato, lo svacantò sull'erba del prato, glielo ripassò.

«Questo è il vantaggio di un tavolo poco illuminato».

Arrivò Guido con le sicarette.

«Grazie. Mangia la ministrina, caro, che ti si raffredda. È ottima. Vero, commissario?».

Di sicuro, quella fìmmina doviva aviri un lato sadico. Bidiente, Guido Costa si mangiò in silenzio tutta la minestrina.

«Vero che era buona, caro?» spiò Rachele.

E da sutta al tavolo, il ginocchio della fìmmina battì dù volte contro quello di Montalbano, in signo d'intisa.

«Non era male» arrispunnì il povirazzo con una voci 'mprovisamente arragatata.

L'acito muriatico doviva avergli arso le corde vocali.

Po', per un attimo, parse che 'na nuvola fosse passata davanti ai proiettori.

Il commissario isò l'occhi: era 'na nuvola, sì, ma di muschitte. Doppo un minuto, in mezzo alle voci e alle risate accomenzò a sintirisi scruscio di timpulate. Mascoli e fìmmine si autoschiaffeggiavano, si davano manate supra al collo, alla fronti, alle grecchie.

«Ma dov'è andata a finire la mia mantellina?» spiò Rachele talianno sutta al tavolo.

Macari Montalbano e Guido si calarono a taliare. Non la vittiro.

«Deve essermi caduta mentre venivamo qui. Vado a prendermene un'altra, non voglio essere mangiata dalle zanzare».

«Vado io» disse Guido.

«Sei un santo. Sai dov'è? Dev'essere dentro la valigia grande. Oppure dentro a un cassetto dell'armadio».

Dunque, non c'era dubbio che si corcavano 'nzemmula, c'era troppa 'ntimità tra loro dù. Ma allura pirchì Rachele lo trattava accussì? Gli piaciva avirlo come servo?

Appena Guido si allontanò, Rachele disse:

«Mi scusi».

Si susì. E Montalbano allucchì. Pirchì Rachele pigliò in tutta tranquillità la mantillina supra alla quali stava assittata, se la misi sulle spalli, sorridì a Montalbano e gli disse:

«Non ho voglia di continuare a mangiare queste porcherie».

Fici appena dù passi e scomparse nello scuro fitto che c'era appena darrè al tavolino. Montalbano non seppi chi fari. Seguirla? Ma lei non gliel'o aviva ditto, di seguirla. Po' nello scuro vitti la luci di un accendino.

Rachele si era addrumata 'na sicaretta e fumava, ferma, a pochi metri di distanza. Forsi le era vinuta 'na botta di malumori e voliva starsene sula.

Arrivò il cammareri con i soliti tri piatti. Stavolta c'erano triglie fritte.

Nelle nasche del commissario, atterrito, arrivò l'inconfondibile feto del pisci defunto da 'na simanata.

«Salvo, venga qui».

Più che obbediri alla chiamata di Rachele, fu una vera e propia fuitina dalla triglia. Meglio la qualisisiasi, che mangiarisilla.

Le s'avvicinò, guidato dal puntino rosso della sicaretta.

«Stia con me».

Gli piacì taliare le sò labbra che comparivano e scomparivano a ogni tirata.

Quanno finì, ghittò 'n terra il muzzuni, lo scrafazzò con la scarpa.

«Andiamo».

Montalbano si voltò per tornari al tavolo, ma la sintì ridiri.

«Dove va? Voglio andare a salutare Raggio di luna. Vengono a riprenderlo domattina presto».

«Scusi, ma Guido?».

«Aspetterà. Che hanno servito per secondo?».

«Una triglia pescata minimo otto giorni fa».

«Guido non avrà il coraggio di non mangiarsela».

Lo pigliò per mano.

«Venga. Lei non è pratico del posto. La guido io».

La mano di Montalbano si sintì consolata a starisinni in quel nido càvudo càvudo.

«Dove stanno i cavalli?».

«A sinistra del recinto delle corse».

Erano dintra a 'na speci di bosco, nello scuro fitto, non arrinisciva a orientarisi e la cosa gli dava fastiddio. Arrischiava di annare a rumpirisi le corna contro un àrbolo. Ma la situazione migliorò subito pirchì Rachele spostò la mano di Montalbano supra al sò scianco e supra alla mano ci appoggiò la sua, sicché continuaro a caminare abbrazzati.

«Così va meglio?».

«Sì».

Certo che annava meglio. Ora la mano di Montalbano era doppiamente consolata: dal calori del corpo della fìmmina e dal calori della mano che lei teneva appuiata supra alla sò. Tutto 'nzemmula il boschetto finì e davanti a loro il commissario vitti 'na granni radura erbosa in funno alla quale trimolava 'na luci splapita.

113

«Vede quella luce davanti a noi? I box sono lì».

Ora che ci vidiva meglio, Montalbano fici per ritirare la mano, ma lei fu pronta a stringergliela forti.

«Resti così. Le dispiace?».

«N... no».

La sintì ridacchiare. Montalbano caminava a testa vascia, talianno 'n terra, si scantava di mettiri un pedi in fallo o di sbattiri contro a qualichi cosa.

«Io non capisco perché il barone ha fatto mettere questo cancello che non ha senso. Da anni che ci vengo ed è sempre così» disse a un certo momento Rachele.

Montalbano isò l'occhi. 'Ntravitti un cancello in ferro battuto, aperto.

Torno torno non c'era nenti, né un muretto né 'na staccionata. Era un cancello perfettamente inutile.

«Non riesco a capire a che serva» ripitì Rachele.

Senza arrinesciri a scoprire 'u pirchì, il commissario si sintì assugliare da un forti senso di disagio. Come quanno uno si veni a trovare in un posto indove non è mai stato e inveci avi la sensazione di esserci già stato.

Quanno arrivaro davanti ai box, Rachele lassò la mano di Montalbano, sciogliennosi dall'abbrazzo. Da uno dei box spuntò la testa di un cavaddro che in qualichi modo sò aviva sintuto la prisenza della fìmmina. Rachele gli si accostò, gli avvicinò la vucca alla grecchia tinennogli un vrazzo supra al collo, e accomenzò a parlargli a voci vascia. Po' l'accarizzò a longo supra alla fronti, lo lassò, si voltò verso Montalbano, gli si avvicinò, l'abbrazzò e lo vasò. A longo, aderendo con tutto il corpo a quello dell'omo. Al commissario parse che la temperatura ambientale era acchianata di colpo di 'na vintina di gradi. Po' lei si scostò.

«Questo però non è il bacio che le avrei dato se avessi vinto».

Montalbano non arrispunnì, ancora 'ntronato. Lei lo ripigliò per la mano e se lo tirò appresso.

«E ora dove andiamo?».

«Voglio dare da mangiare a Raggio di luna».

Si fermò davanti a un fienile nicareddro, la porta era 'nserrata, ma abbastò tirarla che si raprì. Il sciauro del fieno era accussì forti che assufficava. Lei trasì, il commissario la seguì. E appena fu trasuto, Rachele richiuì la porta.

«Dov'è la luce?».

«Lascia perdere».

«Ma così non si vede niente».

«Vedo io» disse Rachele.

E se la ritrovò, nuda, tra le vrazza. S'era spogliata in un vidiri e svidiri.

Il sciauro della sò pelli sturdiva. Appisa al collo di Montalbano, la vucca incoddrata a quella di lui, si lassò cadiri narrè trascinannusillo supra al fieno. Montalbano era accussì 'ntordonuto che pariva un manichino.

«Abbracciami» ordinò con una voci addivintata diversa.

Montalbano l'abbrazzò. E lei, doppo tanticchia, si rigirò mittennusi a panza sutta.

«*Montami*» *disse la voci sgraziata.*
Si voltò a taliare la fìmmina.
Non era cchiù fìmmina, ma squasi un cavaddro. Si era
mittuta a quattro zampe...

Il sogno!
Ecco che cosa gli aviva fatto provare disagio! Il cancello assurdo, la fìmmina cavaddro... Per un attimo s'immobilizzò, lassò la fìmmina...
«Che ti prende? Abbracciami!» arripitì Rachele.

«*Montami, dai*» *arripitì.*
Lui montò e quella partì al galoppo che parse un fur-
garone...

Doppo la sintì che si cataminava, si susiva e tutto
'nzemmula 'na luci giallastra illuminò la scena. Rachele, sempre nuda, sinni stava allato alla porta, indove c'era l'interruttore, e lo taliava. All'improviso si misi a ridiri a modo sò, ghittanno la testa narrè.
«Che c'è?».
«Sei buffo. Mi fai tenerezza».
Gli annò vicino, s'inginocchio e l'abbrazzò. Montalbano accomenzò a rivistirisi di furia.
Ma persero ancora deci minuti a livarisi reciproca-
mente i fili di paglia che s'erano 'nfilati in tutti i posti indove che si potivano 'nfilare.
Rificiro la strata di prima, senza parlari, tanticchia
scostati l'uno dall'altra.
Non avivano proprio nenti da dirisi.

116

Po', come aviva previsto, Montalbano annò a sbattiri contro un albero. Ma stavolta Rachele non gli annò in aiuto pigliannolo per la mano. Si limitò a spiare:

«Ti sei fatto male?».

«No».

Però, che ancora s'attrovavano nella parti scura dello spiazzo in cui c'erano i tavoli, Rachele l'abbrazzò d'improviso e gli disse in una grecchia:

«Mi sei piaciuto molto».

Montalbano, dintra di lui, provò 'na speci di vrigogna. Si sintì macari tanticchia offiso.

Mi sei piaciuto molto! Che minchia di frase era? Che stava a significare? Che la signora era sodisfatta della prestazione? Era rimasta cuntenta del prodotto? La cassata Montalbano vi farà gustare il paradiso! Il gelato Montalbano non ha eguali! Il cannolo Montalbano vi piacerà! Assaggiatelo!

Arraggiò. Pirchì se a Rachele la facenna era piaciuta, a lui gli era annata di traverso. Che c'era stato tra loro dù? Un puro e semplici accoppiamento. Come dù cavaddri in un fienile. E lui, a un certo punto, non aviva cchiù potuto, o saputo, fermarsi. Quant'era vero che bastava sciddricare 'na volta e doppo si sciddricava sempri!

Pirchì l'aviva fatto?

La dimanna era inutile, in quanto la sapiva benissimo la scascione: lo scanto, ora sempre prisenti macari se non evidenti, degli anni che passavano, che fuivano, e l'essiri stato prima con quella picciotta vintina, della quali non voliva manco arricordare il nome, e ora con Rachele, erano tutti tentativi riddicoli, miserabili e miserandi, di fermari il tempo. Fermarlo almeno per quei pochi secondi nei quali solo il corpo era vivo, mentri la testa invece si pirdiva in un gran nenti finalmente senza tempo.

Quanno arrivaro al loro tavolo, la cena era finuta. 'Na poco di tavolini erano stati già sparecchiati dai cammareri. C'era un'ariata di squallore, 'na poco di proiettori erano stati astutati. Ristavano picca pirsone che ancora avivano gana di farisi mangiare dalle muschitte.

Ingrid li aspittava assittata al posto di Guido.

«Guido se ne è tornato a Fiacca» disse a Rachele. «Era un poco seccato. Ha detto che ti chiamerà più tardi».

«Va bene» fici Rachele con tono indifferente.

«Dove siete stati?».

«Salvo mi ha accompagnata a salutare Raggio di luna».

A quel «Salvo», Ingrid fici 'na speci di sorriseddro.

«Mi fumo questa sigaretta e poi vado a nanna» disse Rachele.

Macari Montalbano se ne addrumò una. Fumaro in silenzio. Doppo Rachele si susì, si vasò con Ingrid.

«Verrò a Montelusa in tarda mattinata».

«Quando vuoi».

Po' abbrazzò a Montalbano, posò a leggio le sò labbra su quelle di lui.

«Domani ti telefono».

Appena Rachele s'allontanò, Ingrid si calò in avan-

ti, allungò un vrazzo e accomenzò a tastiare tra i capilli del commissario.

«Sei pieno di fili di paglia».

«Vogliamo andarcene?».

«Andiamo».

Nove

Si susero. Nei saloni incontraro sì e no 'na decina di pirsone.

Qualichiduno, mezzo addrummisciuto, sinni stava stravaccato supra le pultrune. Dato che non era accussì tardo, evidentemente la ministrina e le triglie fituse avivano fatto un certo effetto a mità tra l'avvelenamento e la pisantizza di stomaco. Il cortile si era oramà squasi tutto svacantato dalle automobili.

Si ficiro i triccento metri di strata a pedi fino a quanno vittiro la machina di Ingrid, oramà solitaria, posteggiata sutta a un àrbolo di mènnula, ma l'ergastolano non c'era cchiù nei paraggi. Però l'aviva lassata con le chiavi 'nfilate nello sportello.

Dato che era notti e che c'era picca trafico, Ingrid si sintì autorizzata a tiniri 'na media di centocinquanta. Non sulo, ma a 'na curva superò un Tir mentri dalla parti opposta arrivava sparata un'altra machina. Montalbano, in quell'attimo, arriniscì a leggiri il propio necrologio stampato supra al giornale. Però stavolta non le volli dari la sodisfazione di diri di non curriri accussì forti.

Ingrid non parlava, guidava attenta, la punta della

lingua stringiuta tra le labbra, ma si vidiva che non era del solito umore sò. Raprì la vucca sulo quanno arrivarono a vista di Marinella.

«Rachele ha avuto quello che voleva?» attaccò brutalmente.

«Grazie al tuo aiuto».

«Che vuoi dire?».

«Che tu e Rachele vi siete messe d'accordo, forse quando vi stavate cambiando per la cena. Lei ti avrà detto che le sarebbe piaciuto, come dire, assaggiarmi. E tu hai sgombrato il campo tirando fuori un Giogiò che non è mai esistito. È vero o no?».

«Sì, sì, d'accordo».

«E allora che hai?».

«M'è venuto un attacco di gelosia tardiva, va bene?».

«No, non va bene. È illogico».

«La logica la lascio tutta a te. Io ragiono in un altro modo».

«Cioè?».

«Salvo, fatto sta che tu con me fai il santo e con le altre...».

«Ma se sei tu che mi hai sponsorizzato con Rachele, ne sono certo!».

«Sponsorizzato?!».

«Sissignore! Sai, Rachele? La cassata Montalbano è la migliore che ci sia! Provare per credere!».

«Ma che cavolo dici?».

Erano arrivati. Montalbano scinnì dalla machina senza salutarla. Macari Ingrid scinnì e gli si parò davanti.

«Ce l'hai con me?».

«Con te, con me, con Rachele e con l'universo creato!».

«Senti un po', Salvo, parliamoci chiaro. È vero che Rachele mi ha chiesto se poteva provarci ed io ho sgombrato il campo. Ma è altrettanto vero che, quando siete stati soli, non ti avrà puntato un revolver contro per farti fare quello che voleva. Te l'ha in qualche modo domandato e tu hai acconsentito. Potevi dire di no e tutto finiva lì. Non puoi avercela né con me né con Rachele, ma solo con te stesso».

«Va bene, ma...».

«Lasciami finire. E ho anche capito cosa intendi dire con la tua cassata. Volevi il sentimento? Volevi la dichiarazione d'amore? Volevi che Rachele ti sussurrasse appassionatamente: "Ti amo, Salvo. Sei l'unica persona al mondo che amo"? Volevi l'alibi dei sentimenti per farti la scopatina e sentirti meno in colpa? Rachele, onestamente, ti ha proposto di fare un, aspetta, come si dice... ah, un baratto. E tu l'hai accettato».

«Sì, ma...».

«E la vuoi sapere un'altra cosa? Mi hai un poco delusa».

«Perché?».

«Pensavo che con Rachele sicuramente te la saresti saputa cavare. E ora basta. Scusami lo sfogo e buona notte».

«Scusami tu».

Il commissario aspittò che Ingrid sinni ripartisse, isò

un vrazzo a salutarla, doppo si voltò, raprì la porta, addrumò la luci, trasì, impietrì.

I latri gli avivano mittuta la casa suttasupra.

Doppo 'na mezzorata che circava di rimettiri ogni cosa al posto sò, abbilì. Senza l'aiuto d'Adelina non ce l'avrebbe mai fatta, tanto valiva lassari le cose come stavano. Era squasi l'una, ma il sonno gli era sbariato. I latri avivano forzato la porta-finestra della verandina e non avivano manco dovuto fari 'na faticata grossa pirchì lui, quanno Ingrid era passata per pigliarlo, non l'aviva chiuiuta a chiave. Era bastata 'na spaddrata per raprirla.

Trasì nello stanzino indove la cammarera tiniva la robba che le serviva per la casa e s'addunò che macari lì i latri avivano accuratamente circato. La cassetta dell'attrezzi era stata aperta e il contenuto sparpagliato 'n terra. Finalmente attrovò il martello, il cacciavite e tri o quattro viti nicareddre. Ma appena tentò d'aggiustari la serratura della porta-finestra, si fici capace che veramente aviva bisogno di un paro d'occhiali.

Ma com'è che non se n'era addunato prima che era addivintato scarso di vista? L'umore, già nìvuro per Rachele e per la bella surprisa attrovata 'n casa, gli addivintò ancora cchiù nìvuro, come l'inca. Tutto 'nzemmula s'arricordò che nel cascione del commodino c'era un paro d'occhiali di sò patre che gli avivano mannato 'nzemmula con il ralogio.

Annò in càmmara di dormiri, raprì il cascione. La busta col dinaro era sempri al posto sò e c'era macari l'astuccio dell'occhiali.

123

Ma attrovò qualichi cosa che non s'aspittava: il ralogio gli era stato restituito.

Inforcò l'occhiali, ci vitti subito meglio. Tornò nella càmmara di mangiare e principiò ad aggiustare la serratura.

I latri, ma certo non era cchiù giusto chiamarli accussì, non avivano arrubbato nenti. Anzi, avivano restituito quello che s'erano portati via nella prima visita.

E questo era un signale chiaro, o meglio, in chiaro: caro Montalbano, non siamo trasuti nella tò casa per arrubbare, ma per circare una cosa.

L'avivano attrovata doppo aviri fatto quella meticolosa perquisizione che manco loro della polizia? E che potiva essiri?

Una littra? Ma in casa non aviva corrispondenza che potiva importare a qualichiduno.

Un documento? Qualichi cosa di scritto che arriguardava un'indagine? Ma lui raramente si portava il travaglio a casa e comunque, il jorno appresso, lo riportava in commissariato.

Comunque, la conclusione della facenna era che se non l'avivano attrovato, quelli sicuramente sarebbero tornati per un'altra passata cchiù devastante della prima.

L'aggiustatina alla porta-finestra gli parse vinuta bona. Raprì per prova dù volte e ogni volta lo scoppo funzionò.

«Ecco, quando vai in pensione, potresti dedicarti a lavoretti domestici di questo tipo» disse Montalbano primo.

Lui fici finta di non avirlo sintuto. L'ariata notturna gli aviva portato sciauro di mari e, di conseguenzia, gli era smorcato il pititto. A mezzojorno del jorno avanti aviva mangiato picca e nenti, la sira dù cucchiarate di quella ministrina all'acito muriatico. Raprì il frigorifero: aulive, passuluna, cacio cavallo, angiove. Il pani era tanticchia duro, ma ancora mangiabili. Il vino non ammancava. Si fici un bel piatto di quello che c'era e se lo portò nella verandina.

Certo che i latri, continuiamo a chiamarli provisoriamenti accussì, si disse, avivano dovuto 'mpiegarci tempo assà per arrinesciri a perquisire la casa in questo modo. Lo sapivano che lui era fora pàisi e che sarebbe tornato sulo a notti àvuta? Se lo sapivano, allura viniva a diri che qualichiduno li aviva avvertiti. E chi lo sapiva che sarebbi annato a Fiacca? Sulo Ingrid e Rachele lo sapivano.

Un momento, Montalbà, non ti mettiri a curriri, pirchì currenno currenno puoi cadiri in un precipizio di minchiate. La spiegazione cchiù semplici era che lo tinivano d'occhio. E appena l'avivano visto partire, avivano forzato la porta-finestra in pieno jorno. Del resto, chi potiva esserci supra la pilaja a quell'ora? Erano trasuti, avivano riaccostato la porta-finestra e avivano avuto tutto il doppopranzo per travagliare in pace.

La prima volta non avivano fatto l'istisso? Avivano aspittato che lui nisciva per annare ad accattare il whisky ed erano trasuti. Sì, lo tinivano d'occhio, lo sorvegliavano.

E capace che macari ora, mentri mangiava pani e aulive, stavano a taliarlo. Bih, che camurria!

Provò una sensazione di acuto fastiddio a sapiri che ogni sò movimento era sutta controllo di genti scanosciuta. Si fici agurio che avivano attrovato quello che circavano, accussì la finivano di scassargli i cabasisi.

Finito di mangiare, si susì, portò 'n cucina piatto, posate, bicchiere e buttiglia, chiuì a chiave la porta-finestra compiacennosi per il travaglio fatto, annò a farsi 'na doccia. Mentri si lavava, qualichi filo di paglia gli sciddricò dalla testa fino ai pedi, po' vinni agliuttuto dal piccolo vortice del pirtuso di scarrico.

L'arrisbigliarono le vociate di Adelina che trasì in càmmara di dormiri scantata assà.

«O matre di Dio! O madunnuzza santa! E che fu?».

«I latri, Adelì».

«I latri in casa di vossia?».

«Accussì pare».

«E che ci arrubbaro?».

«Nenti. Anzi, fammi un favore. Mentre rimetti a posto, controlla se ammanca qualichi cosa».

«Va beni. Lo voli il cafè?».

«Certo».

Se lo vippi stando corcato. E, sempre corcato, si fumò la prima sicaretta.

Po' annò in bagno, si vistì, tornò 'n cucina per la secunna tazza.

«Lo sai, Adelì? Aieri a sira, a Fiacca, ho mangiato 'na ministrina che, mi dispiaci dirtelo, mai ne avivo assaggiato una eguali».

«Davero, dutturi?» fici Adelina dispiaciuta.

«Davero. Mi fici dari la ricetta. Appena l'attrovo, te la leggio».

«Dutturi, non saccio se m'abbasta 'u tempo per rimittiri a posto la casa».

«Non ti preoccupare. Indove arrivi, ti fermi. Continui dumani».

«Ah dottori dottori! Come che la passò la santa dominica?».

«Sono andato a Fiacca da amici. Chi c'è?».

«Fazio è in loco. Ci lo chiamo?».

«No, ci vado io».

Fazio stava in una càmmara con dù scrivanie. L'altra era a disposizione di un pari grado che ammancava da cinco anni e che non era stato mai sostituito per mancanza di pirsonale, come arrispunniva il signori e guistori ogni volta che lui ne faciva dimanna scritta.

Fazio si susì 'mparpagliato vidennolo trasire, era cosa rara che il commissario annava nella sò càmmara.

«Buongiorno, dottore. Che c'è? Vuole che venga da lei?».

«No. Siccome devo fare una denunzia, sono io che devo venire qua».

«Denunzia?».

Fazio s'imparpagliò chiossà.

«Sì. Devo denunziare un furto con scasso. O forse un tentativo di furto con scasso. Quello che è certo è che lo scassamento c'è stato. Di cabasisi».

«Dottore, nenti ci capii».

«I latri sono trasuti a casa mia, a Marinella».

127

«I latri?!».

«Ma certamente non erano latri».

«Non erano latri?».

«Senti, Fazio, o la finisci di ripetiri quello che dico o mi veni 'na gran botta di nirbùso. Chiudi la vucca che t'è restata aperta e assettati. Accussì m'assetto macari io e ti conto tutta la facenna».

Fazio s'assittò rigido come un manicu di scupa.

«Dunque, 'na sira la signura Ingrid...».

E gli contò la prima trasuta dei latri con la scomparsa del ralogio.

«Beh» disse Fazio «a mia pare un furto fatto da dù picciottazzi per accattarisi qualichi dose».

«C'è la parte seconda. È 'na storia a puntate. Aieri doppopranzo, alle tri, passò la signura Ingrid con la machina...».

Stavolta, alla fine, Fazio restò muto.

«Non dici nenti?».

«Ci stavo pinsanno. È chiaro che la prima volta hanno fatto il furto del ralogio per pariri latri, ma non hanno attrovato quello che cercavano. Dovendo tornare una seconda volta, hanno deciso di jocare a carti scoperte e le hanno restituito l'orologio. Forse la restituzione del ralogio può significare che hanno attrovato quello che circavano e quindi che non torneranno cchiù».

«Ma non lo sappiamo con certezza. Una cosa è certa: hanno prescia di trovare quello che cercano. E se non l'hanno trovato, forse ci riproveranno oggi stisso, o stanotti o al massimo dumani».

«M'è venuta un'idea» disse Fazio.

«Dilla».

«Vossia è squasi sicuro che lo tengono d'occhio?».

«Al novanta per cento».

«A che ora la sò cammarera sinni va dalla sò casa?».

«Verso le dodici e mezza, l'una meno un quarto».

«Può telefonarle dicennole che torna a casa a mangiare?».

«Sì, certo. Ma pirchì?».

«Vossia va a mangiare alla sò casa in modo che nisciuno può trasire mentre vossia è dintra. Alle tri arrivo io con una machina di servizio. Metto la sirena e faccio 'na gran battaria. Vossia nesci di cursa, acchiana in machina e partiamo».

«Dove andiamo?».

«Andiamo a fare 'na visita ai templi. Se quelli la tengono d'occhio, si faranno certamente persuasi che sono vinuto a pigliarlo per un'emergenza. Ed entreranno subito in azione».

«Embè?».

«Quelli che la sorvegliano non sanno che c'è Galluzzo appostato nei paraggi. Ce lo mando subito, spiegannogli la situazione».

«Ma no, Fazio, non è il caso di…».

«Si lassassi prigari, dottore. 'Sta facenna non mi persuade e non mi piace».

«Ma tu hai idea di quello che cercano?».

«Non lo sapi vossia e lo voli sapiri da mia?».

«Quanno accomenza il processo a Giacomo Licco?».

«Mi pare tra 'na simanata. Pirchì me l'addimanna?».

Giacomo Licco era stato arrestato da Montalbano, tempo avanti. Era 'na scartina della mafia, un esattore del pizzo. Un jorno aviva sparato alle gammi di un commerciante che si era arrefutato di pagare. Il commerciante, scantato, aviva sempre sostenuto che a spargli era stato uno scanosciuto. Il commissario però aviva trovato 'na gran quantità d'indizi che portavano a Giacomo Licco. Ma si trattava di un processo, nel quali avrebbe dovuto testimoniare, che non si sapiva come potiva annare a finire.

«Può darsi che non vengono a circare nenti. Forsi si tratta di un avvertimento: stai attento a come ti regoli al processo pirchì noi possiamo trasire e nesciri dalla tò casa quanno e come vogliamo».

«Macari questo è possibile».

«Pronto, Adelina?».

«Mi dicisse, dutturi».

«Che stai facendo?».

«Staiu circannu di rimettiri a posto la casa».

«Hai priparato il mangiari?».

«Lo fazzo doppo».

«Fallo subito. All'una vengo a mangiare a Marinella».

«Comu voli vossia».

«Che accattasti?».

«Dù linguate che ci fazzo fritte. E per primo pasta coi broccoli».

Trasì Fazio.

«Galluzzo è partito per Marinella. Sa dove ammucciarsi per tenere d'occhio la sò casa dalla parte di mari».

«Va bene. Senti, non ne parlare con nessuno, manco con Mimì».

«D'accordo».

«Assettati. Augello c'è?».

«Sissi».

Sollevò la cornetta.

«Catarella, dì al dottor Augello di venire da me».

Mimì s'appresentò subito.

«Aieri sono annato a Fiacca che c'era 'na cursa di cavalli. Correva macari la signora Esterman con un cavallo prestatole da Lo Duca. Il quale Lo Duca mi ha parlato a longo. Secondo lui, si tratta di una vendetta di un tale Gerlando Gurreri, un suo ex stalliere. L'aviti mai 'ntiso nominare?».

«Mai» fici ad una voce il duo Fazio-Augello.

«E invece bisognerebbe saperne di più. Pare che si sia messo con dei sdilinquenti. Te ne occupi tu, Fazio?».

«Va bene».

«Potremmo sapere, per filo e per segno, quello che ti ha detto Lo Duca?» spiò Mimì.

«Vi servo subito».

«Non è un'ipotesi tanto campata in aria» fu il commento di Mimì quanno il commissario finì di parlari.

«Accussì pare macari a mia» fici Fazio.

«Ma se Lo Duca ha ragione» disse Montalbano «vi rendete conto che l'indagine si ferma qui?».

«E pirchì?» spiò Augello.

«Mimì, quello che Lo Duca ha contato a me, non l'ha contato e non lo conterà mai ai colleghi di Montelusa. Loro sono in possesso di una denunzia generica che riguarda il furto di due cavalli. Non sanno che uno dei due è stato massacrato perché noi non gliabbiamo detto. D'altra parte, noi non abbiamo manco la denunzia della signora Esterman. E Lo Duca, esplicitamente, mi ha detto di sapere che noi non abbiamo contatti con i colleghi di Montelusa. E perciò, per un verso o per l'altro, non abbiamo nessuna carta in mano che ci indichi come procedere».

«E allora?» spiò Mimì.

«Allora ci sono almeno dù cose da fare. La prima è di saperne di più su Gerlando Gurreri. Tu, Mimì, m'hai rimproverato d'aver creduto alle parole della signora Esterman senza aviri avuto un riscontro. Facciamo un riscontro su quello che mi ha contato Lo Duca a partire dalla sprangata che ha dato in testa a Gurreri. In un qualichi spitale di Montelusa sarà stato ricoverato, no?».

«Ho capito» disse Fazio. «Vossia voli le prove che la storia che le ha contato Lo Duca è vera».

«Esattamente».

«Sarà fatto».

«E la secunna è che nell'ipotesi di Lo Duca c'è un elemento importante. Lui è venuto a dirmi che in realtà nessuno sa, ora come ora, quale dei due cavalli è stato ammazzato, se il suo o quello della signora Esterman. Lo Duca sostiene che questo è stato fatto per farlo cociri a foco lento. Ma una cosa è sicura: che veramente nessuno sa con certezza quale cavallo è stato ammazzato. Lo Duca mi ha macari detto che il suo si chiama Rudy. Ora se c'è una fotografia di 'sta vestia e io e Fazio potissimo vidirla…».

«Forse so io dove trovarla» disse Mimì.

Fici 'na risateddra e proseguì:

«Certo che per essiri uno fora di testa, questo Gurreri, a stare a quello che ti ha contato Lo Duca, ragiona benissimo».

«In che senso?».

«Nel senso che prima ammazza il cavallo della Esterman per tenere in ansia Lo Duca supra la sorti del cavallo sò, appresso telefona alla signora Esterman in modo che Lo Duca non possa ammucciarle il furto del cavallo... A mia pare che è 'na gran testa fina, altro che un poviro pazzo!».

«L'ho fatto notare a Lo Duca» disse Montalbano.

«E lui che ti ha risposto?».

«Che molto probabilmente Gurreri è consigliato da qualcuno dei suoi complici».

«Mah» disse Mimì.

Dieci

Stava niscenno per annare a Marinella che il telefono sonò.

«Dottori? Ah dottori! Ci sarebbi che c'è la signura Estera Manni».

«È al telefono?».

«Sissi».

«Dille che non ci sono».

Appena posò il microfono, il telefono sonò novamenti.

«Dottori, ci sarebbi che al tilefono c'è uno che dici che si chiama Pasquale Cirribbicciò».

Doviva essiri Pasquale Cirrinciò, uno dei dù figli della cammarera Adelina, tutti e dù latri che trasivano e niscivano dal càrzaro. Ma del figlio di Pasquale, Montalbano era stato parrino di vattìo.

«Che c'è, Pasquà? Telefoni dal càrzaro?».

«Nonsi, dottore, ai domiciliari sugnu».

«C'è cosa?».

«Dottore, stamatina mè matre mi telefonò e m'informò».

Adelina aviva 'nformato il figlio latro che i latri erano trasuti 'n casa del commissario. Montalbano non raprì vucca, aspittanno il seguito.

134

«Ci voliva dire che io ho fatto 'na poco di telefonate ad amici».

«E che hai saputo?».

«Che i mè amici non ci trasino. Uno mi disse che non erano accussì strunzi di viniri ad arrubbare nella sò casa. Quindi la cosa o è stata fatta da forasteri o non arriguarda la categoria».

«Forsi che arriguarda 'na categoria superiore?».

«Questo non ce lo saccio diri».

«Va bene, Pasquà. Ti ringrazio».

«Doviri».

E dunque, come oramà ne era certo, non si trattava di latri. E non cridiva manco all'ipotesi di forasteri. Doviva essiri stato qualichi altro che non faciva parte della categoria, come la chiamava Pasquale.

Conzò supra la verandina, quadiò la pasta coi broccoli e accomenzò a mangiare. E mentri se la scialava, ebbe la pricisa sinsazione d'essiri taliato. Capita spisso che lo sguardo insistente di un altro abbia lo stisso effetto di una chiamata, ti senti chiamato ma non sai da indove, e ti metti a taliare torno torno.

Supra la pilaja non si vidiva anima criata, fatta cizzione di un cani che zuppichiava, il piscatore matutino era tornato a terra e la sò varca sinni stava tirata a ripa.

Si susì per annare in cucina a pigliarisi le linguate e in quell'attimo squasi l'accecò un lampo di luci che lo colpì e scomparse. Di certo, il riflesso del soli supra a un vitro. Viniva dalla parti del mari.

Ma supra al mari non ci stanno né finestre di case né automobili, pinsò.

Facenno finta di pigliare il piatto lordo, si calò in avanti e isò l'occhi a taliare. C'era 'na varca ferma a qualichi distanza dalla ripa, ma quanti òmini ci stavano supra non arrinscì a vidirlo. Una volta invece, quann'era cchiù picciotto, avrebbi potuto macari vidiri il colori dei loro occhi. Beh, forsi stava tanticchia esageranno, ma meglio di sicuro ci avrebbi viduto.

'N casa tiniva un binocolo, ma quelli che sicuramente stavano a tinirlo sutta controllo dalla varca avivano puro loro un binocolo, e si sarebbero addunati che lui li aviva scoperti. La meglio era fari finta di nenti.

Trasì e doppo tanticchia niscì novamenti supra alla verandina con le linguate, accomenzò a mangiarisille.

E via via si fici pirsuaso che quella varca già c'era fin da quanno aviva raputo la porta-finestra per conzare. Non ci aviva dato 'mportanza, sul momento. Finì di mangiare che erano passate le dù, annò in bagno, si lavò. Po' tornò alla verandina con un libro 'n mano, s'assittò, s'addrumò 'na sicaretta. La varca non si era spostata.

Principiò a leggiri e doppo un quarto d'ora sintì 'na sirena che s'avvicinava. Continuò a leggiri come se la cosa non l'arriguardava. Il sono si fici sempri cchiù vicino, s'interrumpì all'altizza dello spiazzo davanti alla porta di casa. Dalla posizione nella quale s'attrovavano, quelli della varca potivano vidiri tanto la verandina quanto lo spiazzo. Sentì sonare il campanello.

Si susì e annò a raprire. Fazio tiniva addirittura il lampeggiatore addrumato supra al tetto.

«Dottore, c'è un'emergenza».

Pirchì faciva tiatro macari se erano solo loro? Forsi Fazio pinsava che c'era qualichi microfono ammucciato nelle vicinanze? Esagerato!

«Vengo subito».

Sicuramenti quelli della varca avivano viduta la scena. Chiuì a chiave la porta-finestra, niscì, chiuì la porta di casa, acchianò supra la machina.

Fazio rimisi la sirena e partì con una rumorata di gomme da fari viniri l'immidia a Gallo.

«Ho capito da dove mi sorvegliano».

«Da dove?».

«Da 'na varca. Pensi che sia meglio avvertire a Galluzzo?».

«Forse è meglio. Lo chiamo al cellulare».

Galluzzo arrispunnì subito.

«Gallù, ti volivo dire che il dottore ha scoperto... ah, sì? Va bene, stai 'n campana».

Chiuì la comunicazione e si voltò verso il commissario.

«Galluzzo l'aviva già accapito che quelle tri pirsone nella varca facivano finta di piscari, ma invece stavano a sorvegliare la sò casa».

«Ma Galluzzo indove s'è messo?».

«Dottore, se l'arricorda che all'altizza della sò casa, ma dall'altra parti della strata, c'è un villino che da deci anni è in costruzione? Beh, lui s'attrova al secunno piano».

«Ma indove mi stai portanno?».

«Non avivamo ditto che annavamo a fari 'na visita ai templi?».

Prima della strata panoramica dei templi, che si potiva fari sulamenti a pedi, ma a loro li lassarono passare pirchì la machina era della polizia, Montalbano fici fermare a Fazio, annò in un bar-edicola e accattò 'na guida.

«Vuole fare il turista sul serio?».

No, non lo voliva fari, ma il fatto era che, pur essennoci stato molte volte, ogni volta non c'era verso che s'arricordava l'epoca della costruzione, le misure, il nummaro delle colonne.

«Andiamo in cima» disse il commissario «e via via che visitiamo i templi scendiamo giù».

Arrivati in cima, parcheggiaro la machina e, a pedi, si ficiro l'acchianata fino al tempio cchiù alto.

La costruzione del Tempio di Giunone Lucina risale al 450 a.C. Lungo 41 metri e largo metri 19 e 55, aveva 34 colonne...

Se lo visitarono coscienziosamenti, rimontaro in machina; fatti pochi metri, firmaro, parcheggiaro, si ficiro a pedi l'acchianata verso il secunno tempio.

Il Tempio della Concordia è del 450 a.C. Aveva 34 colonne alte metri 6,83, e lungo metri 42,10 e largo 19,70...

Se lo visitaro, e doppo ficiro la stissa cosa di prima.

Il Tempio di Ercole è il più antico. Risale al 520 a.C. Lungo 73 metri e quaranta centimetri...

Se lo visitaro con scrupolo.

«Annamo a vidiri l'altri templi?».

«No» disse Montalbano che si era abbuttato dell'archeologia. «Ma che fa Galluzzo, è passata quasi un'ora!».

«Se non telefona, veni a diri che...».

«Chiamalo».

«Nonsi, dottore. E se quello ora s'attrova nelle vicinanze della sò casa e gli si mette a squillare il telefonino?».

«Allora chiamami Catarella e passamelo».

Fazio eseguì.

«Catarè, ci sono novità?».

«Nonsi, dottori. Però tilifonò la signura Estera Manni. Dice accussì che se l'arrichiama vossia».

Passarono 'n'altra mezzorata a caminare avanti e narrè davanti al tempio.

Montalbano si faciva sempre cchiù nirbùso. Fazio tentò di sbariarlo.

«Dottore, pirchì il tempio della Concordia è squasi sano e l'altri no?».

«Pirchì ci fu un imperatore, Teodosio, che ordinò che tutti i templi e i santuari pagani dovivano essiri distrutti, fatta cizzione di quei templi che vinivano cangiati in chiese cristiane. Siccome quello della Concordia addivintò 'na chiesa cristiana, restò addritta. Un bell'esempio di tolleranza. Priciso 'ntifico a come capita oggi».

Ma fatta la digressione culturale, il commissario tornò subito all'argomento.

«Vuoi vidiri che quei tri nella varca erano veramenti piscatori? Senti, andiamo ad assittarci al bar».

Non fu possibile. Tutti i tavolini erano accupati dai turisti 'nglisi, tedeschi, francisi e soprattutto giapponisi che fotografavano la qualunque, macari 'na pietruzza che gli era trasuta nelle scarpi. Il commissario accomenzò a santiare.

«Andiamo via» fici smanioso.

«E dove andiamo?».

«Andiamo a rasparci le corna a...».

E in quel priciso momento il cellulare di Fazio sonò.

«È Galluzzo» disse portanno il telefonino alla grecchia.

«Va bene, arriviamo» fici subito appresso.

«Che ti ha detto?».

«Che dobbiamo andare subito da lei, a Marinella».

«E non ti ha detto altro?».

«Nonsi».

Si ficiro la strata che manco Schumacher a un gran premio di Formula 1, ma senza lampeggianti e senza sirena. Quanno arrivaro, trovaro la porta di casa rapruta.

Trasero di cursa.

Nella càmmara di mangiare, mezza porta-finestra pinnuliava dai cardini.

Galluzzo, pallito che pariva un morto, stava assittato supra al divano. Si era vivuto un bicchieri d'acqua e lo tiniva 'n mano, vacante. Appena li vitti, si susì.

«Stai bene?» gli spiò Montalbano taliannolo 'n facci.

«Sissi, ma mi scantai assà».

«Pirchì?».

«Uno dei dù mi ha sparato tri colpi a vacante».

«Davero? E tu?».

«Io ho arrispunnuto. E credo d'aviri pigliato a quello che non aviva sparato. Ma il compagno sò, quello armato, se lo strascinò fino alla strata indove li aspittava 'na machina».

«Te la senti di contarci tutto dal principio?».

«Sissi, oramà è passata».

«Vuoi tanticchia di whisky?».

«Macari, dottore!».

Montalbano gli livò il bicchieri dalla mano, gli servì 'na porzione abbunnanti e glielo pruì. Fazio, che era nisciuto supra alla verandina, tornò dintra con la facci scurusa.

«Doppo che ve ne siete partiti, quelli hanno aspittato 'na mezzorata prima di tornari a ripa» attaccò Galluzzo.

«Volivano essiri sicuri che ce n'eravamo annati veramenti» disse Fazio.

«Ma 'na volta a ripa, sono ristati a longo vicino alla varca, talianno a dritta e a manca. Po', che era passata squasi un'orata, dù hanno pigliato dù taniche granni dalla varca e si sono avviati verso qua».

«E il terzo?» spiò Montalbano.

«Il terzo invece principiò ad alluntanarsi con la varca. Allura io mi sono livato dal villino e sono vinuto di cursa ad appostarmi all'angolo mancino della casa. Quanno ho taliato, uno dei dù, che tiniva 'n mano un pedi di porco, aviva allura allura finuto di scardinare la porta-finestra. Sono trasuti dintra. Mentri io stavo a pinsari a cosa fari, i dù niscero novamenti supra la verandina, certo erano vinuti a pigliare le taniche che avivano lassato fora. Ho pinsato che non potivo cchiù perdiri tempo. Allura ho fatto un sàvuto avanti e puntanno la pistola gli ho detto: "Fermi! Polizia!"».

«E come hanno reagito?».

«Ah, dottore! Uno dei dù, quello cchiù grosso, in un vidiri e svidiri ha tirato fora un revorbaro e m'ha sparato. Io mi sono arriparato darrè l'angolo. Subito doppo ho viduto che sinni stavano scappanno verso lo spiazzo davanti alla porta. Li ho assicutati. E il grosso m'ha sparato ancora. Ho sparato macari io e l'altro, che gli curriva allato, ha variato come un imbriaco, ed è caduto agginucchiuni. Allura il grosso con un vrazzo l'ha tirato su e m'ha sparato un terzo colpo. Sono arrivati alla strata, c'era 'na machina con gli sportelli aperti e sono scappati».

«Quindi» osservò Montalbano «era già previsto che dovivano scapparsene via terra».

«Scusami» disse Fazio a Galluzzo «ma pirchì non hai continuato ad inseguirli?».

«Pirchì la mè pistola s'è inceppata» arrispunnì Galluzzo.

La tirò fora dalla sacchetta e la detti a Fazio.

«Portala in armeria con tanti ringraziamenti da parte mia. Se quelli s'addunavano che non potivo cchiù sparare, a quest'ora non sarei qua a contarvi come annò la facenna».

Montalbano fici per dirigersi verso la verandina.

«Ho controllato io, dottore. Sono due taniche da venti litri ognuna piene di benzina. Avivano la 'ntinzioni di dari foco alla casa» disse Fazio.

E questa era 'na gran bella novità.

«Dottore, come mi devo regolare?» fici Galluzzo.

«Per che cosa?».

«Per i due colpi che ho tirato. Se quelli dell'armeria mi spiano...».

«Gli dici che hai dovuto sparare a un cane arraggiato e che l'arma si è inceppata!».

«Ma vossia che intenzioni ha?» spiò Fazio.

«Di fari aggiustare la porta-finestra» disse il commissario frisco come un quarto di pollo.

«Se vuole, in un'orata gliela aggiusto io» disse Galluzzo. «Ci l'avi li strumenti?».

«Vai a taliare nello stanzino».

«Dottore» ripigliò Fazio «dobbiamo concordare una spiegazione».

«Perché?».

«Capace che tra cinco minuti qua arrivano i nostri o i carrabbineri».

«Perché?» arripitì il commissario.

«Un conflitto a fuoco c'è stato, sì o no? Quattro colpi sono stati sparati! E qualichiduno delle vicinanze avrà avvertito la polizia o i...».

«Quanto ci scommetti?».

«Supra a cosa?».

«Che nisciuno ha chiamato a nisciuno. La maggioranza di quelli che hanno sintuto i colpi, data l'ora, o avranno pinsato allo scappamento di 'na motocicletta o a qualichi joco di picciottazzi. I dù o tri che hanno capito che si trattava di colpi di pistola, essenno pirsone competenti e sperte, avranno continuato a farisi i cazzi loro».

143

«C'è tutto» fici Galluzzo tornanno con la cassetta degli attrezzi.

E principiò a travagliare. Doppo tanticchia che martelliava, il commissario disse a Fazio:

«Andiamo in cucina. Lo vuoi un cafè?».

«Sissi».

«E tu, Gallù?».

«Nonsi, dottore, masannò stanotti non dormo».

Fazio era mutanghero e soprapinsero.

«Sei preoccupato?».

«Sissi, dottore. La varca, l'automobile, la sorveglianza continua, almeno tri òmini impegnati, questa non è cosa arrangiata. Sento feto di mafia, se proprio la voli sapiri tutta. Forsi quanno pinsò al processo di Giacomo Licco, non si sbagliò».

«Fazio, io qua non ho carte che riguardano Licco. E di questo se ne sono resi conto quando hanno fatto la lunga perquisizione. Se oggi sono tornati per dare foco alla casa, veni a dire che mi vogliono intimidire».

«Le sto dicenno la stissa cosa».

«Ma sei convinto che lo fanno per Licco?».

«E che altro avi di grosso per le mano al momento?».

«Di grosso, nenti».

«E allura? Sintissi a mia, darrè a 'sta storia sicuramenti ci stanno i Cuffaro. Licco è uno dei loro».

«E tu pensi che possono arrivare a tanto per uno come Licco che è un omo da dù soldi?».

«Dottore, dù soldi o quattro soldi, sempri un loro omo è. Non lo possono abbannunari. Se non l'addifennino, possono perdiri la fiducia e il rispetto dei gregari».

«Ma come fanno a immaginare che io, scantato, vado in tribunale e dico che mi sono sbagliato, che Licco non ci trase?».

«Ma non vogliono questo! Vogliono che lei, al processo, s'addimostra tanticchia incerto. Abbasta questo. A smontare i sò indizi, ci penseranno gli avvocati dei Cuffaro. E se voli un consiglio, stanotti vinissi a dormiri in commissariato».

«Quelli non tornano cchiù, Fazio. La mè vita non è in pericolo».

«E come fa a sapirlo?».

«Per il semplici fatto che sono venuti a dari foco alla casa doppo che io ero nisciuto. Se volivano ammazzarmi, a parte il fatto che potivano spararmi in qualisisiasi momento dalla varca con un fucile di precisione, davano foco alla benzina di notte, mentri ero dintra e dormivo».

Fazio ci pinsò supra tanticchia.

«Forse ha ragione. A loro serve vivo».

Ma parse cchiù dubitoso di prima.

«Dottore, c'è 'na cosa che non capiscio. Pirchì vossia non voli fari sapiri a nisciuno di 'sta storia?».

«Ragiona un momento. Io faccio una denuncia ufficiale di tentativo di furto con scasso. Tentativo, pirchì non saccio se hanno portato via qualichi cosa o no. E lo sai che succede il jorno stisso?».

«Nonsi».

«Che, appena va in onda il notiziario di "Televigàta", spunta la facci a culo di gaddrina del giornalista Pippo Ragonese il quale dice: "La sapete la novità? I

145

ladri possono impunemente entrare e uscire dalla casa del commissario Montalbano!". E io sarei immediatamente cummigliato di merda».

«D'accordo. Ma vossia potrebbe andare a parlarne a quattr'occhi col questore».

«Con Bonetti-Alderighi?! Vuoi babbiare? Quello mi ordinerebbe di procedere secondo le regole! E io m'arritroverei sputtanato. No, Fazio, non è che non voglio, ma non posso farlo».

«Come voli vossia. Che fa, torna in commissariato?».

Montalbano taliò il ralogio. Si erano fatte le sei passate.

«No, resto qua».

Una mezzorata appresso, Galluzzo trionfante comunicò che aviva finuto l'aggiustatina e che la portafinestra era vinuta come nova.

Adelina era arrinisciuta a mettiri in ordine il salone, ma la càmmara di dormiri era ancora suttasupra. Tutti i cascioni erano stati aperti e il contenuto sparpagliato 'n terra, avivano persino livato i vistiti appinnuti dintra all'armuàr e ne avivano rivoltato le sacchette.

Un momento!

Questo viniva a significare che quello che cercavano era 'na qualichi cosa che potiva essiri tinuta 'n sacchetta. Un foglio di carta? Un oggetto nico? No, un foglio di carta potiva essiri l'ipotesi cchiù giusta. E allura si tornava daccapo a dudici: il processo contro Licco. Squillò il telefono, annò a rispunniri.

«Parlu cu 'u commissariu Montalbanu?».

'Na voci profunna che parlava in un dialetto 'ncarcato.

«Sì».

«Fai quello che devi fari, strunzu».

Non ebbe tempo d'arrispunniri che la comunicazione venne 'nterrotta.

La prima cosa che pinsò era che continuavano a tinirlo sotto sorveglianza, dato che la telefonata era arrivata doppo che Fazio e Galluzzo sinni erano iuti. Ma macari se Fazio e Galluzzo erano prisenti alla telefonata, che avrebbiro potuto fari? Nenti di nenti. Però il commissario, in compagnia di dù dei sò òmini, si sarebbi certamente 'mpressionato di meno. Un sottile ragionamento di psicologia. Dall'altra parti, a dirigere tutto, doviva esserci 'na gran testa fina, come aviva ditto Mimì.

La secunna cosa che pinsò fu che lui non avrebbi potuto mai fari quello che doviva fari in quanto che non sapiva assolutamenti quello che, secunno l'anonimo della telefonata, doviva fari.

Che si spiegassero meglio, minchia!

Undici

Tornò nella càmmara di dormiri a rifari ordine e doppo manco cinque minuti il telefono sonò novamenti. Sollevò la cornetta e parlò prima che l'altro potisse rapriri vucca.

«Senti a mia, grannissima testa di cazzo».

«Con chi ce l'hai?» l'interrumpì Ingrid.

«Ah, sei tu? Scusami, credevo... Dimmi».

«Vista l'accoglienza, non credo che tu sia dell'umore adatto. Ma ci provo lo stesso. Desidero solo domandarti perché non vuoi rispondere alle telefonate di Rachele...».

«Te l'ha detto lei di farmi questa domanda?».

«No, è una mia iniziativa, ho visto come c'è rimasta male. Allora?».

«Mi devi credere, oggi è stata una giornata che...».

«Mi giuri che non è una scusa?».

«Non te lo giuro, ma non è una scusa».

«Meno male, credevo ti fosse venuto il rigetto cattolico verso la donna che ti ha indotto a peccare».

«Non ti conviene metterla su questo piano».

«Perché?».

«Potrei risponderti che, come mi hai spiegato tu, tra

me e Rachele c'è stato un baratto, uno scambio. Se la signora Esterman non ha lamentele in proposito…».

«Non ne ha. Anzi».

«… non c'è ragione di parlarci, ti pare?».

Ingrid parse non aviri sintuto.

«Allora le dico di chiamarti a casa più tardi?».

«No. Meglio domattina, in ufficio. Ora devo… uscire».

«Le risponderai?».

«Promesso».

Doppo dù orate di faticate, di càlati e sùsiti, di piglia e ripiglia, di tira e ammutta, la càmmara di dormiri era tornata come a prima.

E ora avrebbi dovuto mangiari qualichi cosa, ma non aviva pititto.

S'assittò supra la verandina, s'addrumò 'na sicaretta.

Tutto 'nzemmula pinsò che accussì come stava, macari con la luci della verandina addrumata, offriva un bersaglio perfetto, tanto cchiù che la notti era scurusa assà. Ma che fosse certo che non avivano 'ntinzione d'ammazzarlo, non l'aviva ditto a Fazio tanto per rassicurarlo, ma pirchì ne era profunnamenti convinto. Tant'è che aviva lassato la pistola, come a 'u solito, nel cascionetto del cruscotto.

D'altra parte, se quelli avivano pigliato la decisione di sparargli, come avrebbe potuto addifennersi? Con una pistola, che macari s'inceppava al secunno colpo, come era capitato a Galluzzo, contro tri kalashnikov?

Annanno a dormiri in commissariato, come aviva suggerito Fazio? Ma via!

Alla prima nisciuta fora, per annare a mangiari o per vivirisi un cafè, il solito motociclista col casco integrale avrebbi potuto appesantirlo di qualichi chilata di chiummo.

Cataminarsi sempri con la scorta? Ma la scorta, era ampiamente dimostrato, non era mai arrinisciuta a evitare un omicidio.

Semmai, era sirvuta ad aumentare il numero dei morti: non sulo la vittima designata, ma macari dù o tri della scorta.

Ed era inevitabile che fusse accussì. Pirchì chi ti s'accosta per ammazzarti, sa esattamente quello che deve fari, capace che ha fatto decine di prove e simulazioni, mentri quelli della scorta, che sono addestrati a sparari in secunna battuta, vali a diri doppo che sono stati assaltati, per difisa e non per offisa, non conoscono nenti delle 'ntinzioni di chi si sta accostando. Quanno lo capiscono, qualichi secondo doppo, è troppo tardi: la differenza di pochi secondi tra l'aggressore e la scorta è la carta vincente dell'omicida.

'Nzumma, la testa di chi usa le armi per ammazzare ha una marcia in più di chi usa le armi per difesa.

Comunque era nirbùso, non lo potiva negare.

Nirbùso, non scantato.

E macari profunnamenti offiso.

Quanno aviva viduto la casa suttasupra, aviva avuto 'na sinsazione di vrigogna. Certo, il paragone non era sostenibile, ma, alla luntana, aviva accapito pirchì 'na fìmmina spisso assà s'affrunta a denunziare d'essiri stata violentata.

La sò casa, cioè a diri se stesso, era stata brutalmente violentata, frugata, rivoltata da mano estranee e ne aviva potuto parlari a Fazio sulo facenno finta di sgherzare. La perquisizione dell'appartamento l'aviva turbato assai cchiù del tentativo d'abbrusciarlo.

E po' c'era l'offisa della telefonata. Non si trattava però né del tono né dell'insulto finale.

L'offisa consisteva nel fatto che qualichiduno potiva pinsari che lui era omo di cedere ad una intimidazione e di agire secunno il volere di altri, come un qualisisiasi ominicchio o quaquaraquà. Li aviva mai autorizzati, con un minimo gesto, con mezza parola, ad aviri quella 'pinione di lui?

Sicuramenti però quelli non si sarebbero fermati. E addimostravano d'aviri prescia.

«Fai quello che devi fare».

Forsi Fazio aviva ragione, tutto quello che gli stava capitanno doviva aviri un qualichi rapporto col processo Licco. In tutta la ricostruzione che lui aviva fatto per mannare a Licco 'n càrzaro, arricordava che c'era un punto debole. Quale, però, non arrinisciva a metterlo a foco. Sicuramenti l'avvocati di Licco si erano addunati di questo punto debole e ne avivano parlato con i Cuffaro. I quali si erano messi in moto.

La prima cosa da fari l'indomani matino era pigliari l'incartamento Licco e rileggirisillo.

Il telefono sonò. Lo lassò squillare. Doppo tanticchia non sonò cchiù. Se lo stavano a taliare, avrebbero viduto che lui se la pigliava commoda, manco si susiva per annare a rispunniri.

Quanno gli calò sonno e trasì dintra, addecise di lassare accostata la porta-finestra, accussì, se quelli avivano 'ntinzioni di fargli visita in nuttata, non avrebbiro dovuto scassarla per la terza volta.

Annò in bagno, si corcò e appena fu dintra alle linzola, il telefono sonò novamenti. Stavolta si susì e arrispunnì.

Era Livia.

«Perché non hai risposto prima?».

«Prima quando?».

«Un'oretta fa».

Perciò era stata lei a chiamari.

«Forse ero sotto la doccia e non ho sentito».

«Stai bene?».

«Sì. E tu?».

«Bene. Ti volevo domandare una cosa».

E dù. Prima Ingrid e po' Livia. Tutte avivano dimanne da rivolgergli. A Ingrid aviva arrisponnuto con una mezza farfantaria, avrebbi dovuto fari l'istisso con Livia? Coniò un proverbio novo novo: «Cento farfantarie al jorno / levano le fìmmine di torno».

«Domandala».

«Nei prossimi giorni sei impegnato?».

«Non eccessivamente».

«Ho tanta voglia di passare qualche giorno a Marinella con te. Domani pomeriggio, alle tre, potrei prendere un aereo e...».

«No!».

Doviva avirlo gridato.

«Grazie!» fici Livia doppo 'na pausa.

E riattaccò.

Matre santa, e ora come faciva a spiegarle che quel no gli era nisciuto dal cori pirchì si scantava di coinvolgerla in questa mallitta facenna nella quali lui stisso s'attrovava 'nfilato dintra fino al collo?

E se quelli, putacaso, mentri Livia era con lui, si mittivano a sparare sia pure a scopo dimostrativo? No, in quei jorni, Livia pedi pedi a Marinella non era propio cosa.

La richiamò. S'aspittava di non riciviri nisciuna risposta, ma invece Livia arrispunnì.

«Solo perché sono curiosa».

«Di che?».

«Di vedere che scusa riesci a trovare per giustificare il tuo no».

«Capisco che ci sei rimasta male. Ma vedi, Livia, non si tratta di scuse, mi devi credere, ma del fatto che negli ultimi giorni i ladri sono entrati in casa mia tre volte e...»

Livia principiò a ridiri che non la finiva cchiù.

Ma che minchia c'era da ridiri, si potiva sapiri? Tu le dici che i latri trasino e nescino dalla tò casa quanno e come gli pari e piaci e lei non sulo non ti dici nenti di confortevole, ma addirittura attrova la cosa comica? Ma che bella comprensione! Accomenzò ad alterarsi.

«Senti, Livia, non vedo...».

«I ladri in casa del famoso commissario Montalbano! Ah ah!».

«Se riesci a calmarti…».

«Ah! Ah!».

Riattaccare? Portare pacienza? Per fortuna sintì che si calmava.

«Scusami, ma m'è parso così buffo!».

Ecco quale sarebbe stata la reazione della gente se la cosa si viniva a sapiri in giro.

«Ti racconto com'è andata. È una storia curiosa. Perché anche oggi pomeriggio sono tornati, sai?».

«Che hanno rubato?».

«Niente».

«Niente?! Racconta!».

«Tre sere fa Ingrid era venuta a cena da me…».

Si muzzicò la lingua, ma era troppo tardi. Il danno era fatto.

All'altro capo del filo, il barometro dovitti cominciare a segnare tempesta in arrivo. Da quanno la situazione tra loro dù era tornata normale, Livia era stata pigliata di 'na gilusia della quali non aviva mai patuto prima.

«E da quand'è che avete preso quest'abitudine?» spiò Livia con voci ironica e fintamente allegra.

«Quale abitudine?».

«Di cenare tutti e due a Marinella. Al chiaro di luna. A proposito, l'accendi la candela sul tavolo?».

Finì a schifìo.

E quindi, metti per il nirbùso della visita dei tri che gli volivano abbrusciare la casa, metti per il nirbùso della telefonata anonima e metti per il nirbùso della sciarriatina con Livia, finì che durmì picca e nenti e quello stisso picca frazionato in una vintina di minuti a volta. Quanno s'arrisbigliò, era completamente 'ntronato. Una doccia che durò 'na mezzorata e un quarto di litro di cafè lo misiro in condizione di distinguere almeno la mano dritta dalla mancina.

«Non ci sono per nessuno» disse passanno davanti a Catarella.

Catarella gli currì appresso.

«Non c'è tilifonico o di prisenza?».

«Non ci sono, lo vuoi capire sì o no?».

«Manco per il signori e guistori?».

Per Catarella, il signori e guistori stava di sulo un gradino cchiù vascio del Padreterno.

«Manco».

Trasì in ufficio, chiuì la porta a chiave, attrovò doppo 'na mezzorata di santioni la cartella che arriguardava la sò indagine su Giacomo Licco.

Se la studiò per dù ore, piglianno appunti.

Po' telefonò al pm Giarrizzo, che al processo Licco avrebbi sostenuto l'accusa.

«Il commissario Montalbano sono. Vorrei parlare col dottor Giarrizzo».

«Il dottore è in tribunale. Ne avrà per tutta la mattinata» arrispunnì 'na voci fimminina.

«Quando torna, gli dice se mi può richiamare? Grazie».

Si misi 'n sacchetta il foglietto con gli appunti e sollevò il ricevitore.

«Catarella, c'è Fazio?».

«Non trovasi in loco, dottori».

«E Augello?».

«Lui è in loco».

«Digli di venire da me».

S'arricordò che aviva chiuso a chiave la porta, si susì, la raprì e s'attrovò davanti a Mimì Augello con una rivista 'n mano.

«Perché ti chiuisti a chiave?».

Se uno fa 'na cosa, chi autorizza un altro a spiare pirchì l'ha fatta? Odiava 'sto tipo di dimanne. Ingrid: perché non rispondi a Rachele? Livia: perché non hai sentito la mia prima chiamata? E ora Mimì.

«In cunfidenza, Mimì, avevo 'na mezza 'ntinzioni d'impiccarmi, ma siccome sei arrivato tu...».

«Ah, guarda che se hai questa intenzione, che tra l'altro approvo incondizionatamente, me ne vado subito e tu puoi continuare».

«Trasi e assettati».

Mimì vitti supra alla scrivania l'incartamento del processo Licco.

«Ti ripassavi la lezione?».

«Sì. Hai novità?».

«Sì. 'Sta rivista».

E la posò supra al tavolo del commissario. Era 'na rivista bimestrale patinata, lussuosa, grondante soldi dei contribuenti. Si chiamava «La Provincia» e aviva come sottotitolo «Arte, Sport e Bellezza».

Montalbano la sfogliò. Orrendi quatri di pittori dilettanti che si autoparagonavano minimo minimo a Picasso, poesie ignobili firmate da poetesse col doppio cognome (le poetesse di provincia lo fanno sempre), vita

156

e miracoli di un tale montelusano addivintato vice-sinnaco di un paìsi perso nel Canada, e finalmente, nella sezione Sport, ben cinque pagine dedicate a «Saverio Lo Duca e i suoi cavalli».

«Che dice l'articolo?».

«Minchiate. Ma a tia interessava la fotografia del cavallo rubato, no? È la terza. Che cavallo ha montato la signora Esterman?».

«Raggio di luna».

«È quello della quarta».

Ogni foto, granni e a colori, aviva come didascalia il nome del cavaddro.

Montalbano, per taliarlo meglio, pigliò dal cascione 'na grossa lenti d'ingrandimento.

«Mi pari Sherlock Holmes» disse Mimì.

«E tu saresti il dottor Watson?».

Tra il cavaddro morto supra la pilaja e quello fotografato non ci trovò nisciuna differenzia. Ma lui non ne capiva nenti di cavaddri. L'unica era telefonare a Rachele, però non lo voliva fari in prisenza di Mimì, capace che quella, cridennolo sulo, tirava fora argomenti perigliosi.

Ma appena Augello sinni niscì per annare nella sò càmmara, chiamò a Rachele sul cellulare.

«Montalbano sono».

«Salvo! Che bello! Stamattina ti ho telefonato ma mi hanno risposto che non c'eri».

Se l'era completamente scordato che aviva promesso seriamente a Ingrid d'arrispunniri alla chiamata di Rachele. Abbisognava sparari un'altra farfantaria. Gli vinni di coniare un altro proverbio: «Spisso 'na far-fantaria / ti sparagna 'na camurria».

«Non c'ero, infatti. Ma appena sono rientrato e ho saputo che m'avevi cercato, ti ho chiamata».

«Non voglio farti perdere tempo. Ci sono novità nell'indagine?».

«Quale?».

«Ma quella sull'uccisione del mio cavallo!».

«Noi non stiamo facendo nessuna indagine, dato che da parte tua non c'è stata nessuna denunzia».

«Ah, no?» fici Rachele sdillusa.

«No. Semmai ti devi rivolgere alla questura di Montelusa. È lì che Lo Duca ha denunziato il furto dei due cavalli».

«Io speravo che...».

«Mi dispiace. Senti, siccome m'è capitata tra le mani, ma del tutto casualmente, una rivista dove c'è una fotografia del cavallo rubato a Lo Duca...».

«Rudy».

«Sì. M'è parso che Rudy era identico al cavallo morto che ho visto sulla spiaggia».

«Si somigliavano moltissimo, certo. Ma non erano identici. Per esempio, Super, il mio cavallo, aveva una macchiolina stranissima, una specie di stella a tre punte, sul fianco sinistro. L'hai vista?».

«No, perché stava disteso proprio su quel fianco».

«Per questo l'hanno fatto scomparire. Per non farlo identificare. Sempre più mi convinco che Sciscì ha ragione: vogliono cucinarselo a fuoco lento».

«È possibile...».

«Senti...».

«Dimmi».

«Vorrei... parlarti. Vederti».

«Rachele, mi devi credere, non ti racconto bugie, ma mi trovi in un momento veramente difficile».

«Ma per sopravvivere devi mangiare, no?».

«Beh, sì. Ma non mi piace parlare quando mangio».

«Ti parlerò solo per cinque minuti, te lo prometto, dopo che abbiamo finito. Potremmo vederci stasera?».

«Non lo so ancora. Facciamo così. Alle otto precise telefonami qua, in commissariato, e ti saprò dire».

Ripigliò novamenti in mano l'incartamento di Licco, se lo riliggì, si scrisse qualichi altro appunto. Si era passato e ripassato gli argomenti che aviva portato contro Licco liggennoli con l'occhi di un avvocato difensore e quello che arricordava come un punto debole ora gli pariva non più 'na liggera smagliatura, ma un vero e proprio pirtuso. Gli amici di Licco avivano ragione: il suo atteggiamento in aula sarebbe stato determinante, bastava che addimostrava un accenno d'esitazione supra a quel punto e gli avvocati avrebbiro fatto addivintari quel pirtuso 'na vera e propia falla attraverso la quale Licco potiva tranquillamente niscirisinni fora con tante scuse da parte della liggi.

Verso l'una, quanno niscì dalla càmmara per annare alla trattoria, Catarella lo chiamò.

«Dottori, mi scusasse, ma vossia c'è o non c'è?».

«Chi è al telefono?».

«Il pim dottori Giarrazzo».

«Passamelo».

«Buongiorno, Montalbano, sono Giarrizzo, mi voleva?».

«Sì, grazie. Ho bisogno di parlarle».

«Può passare da me... aspetti... alle diciassette e trenta?».

Visto e considerato che il jorno avanti aviva squasi digiunato, addecise di rifarisi.

«Enzo, ho molto pititto».

«Minni compiaccio, dottore. Che ci porto?».

«Sai che ti dico? Non saprei scegliere».

«Lassasse fari a mia».

A un certo momento, mangia ca ti mangia, si fici capace che abbastava l'aggiunta di 'na mentina per farlo scoppiare, come quel pirsonaggio di 'na pellicola che si chiamava *Il senso della vita* e che l'aviva addivirtuto assà assà. Ma accapì macari che era stato il nirbùso a farlo mangiari tanto.

Doppo 'na mezzorata abbunnanti di passiata supra al molo, tornò in ufficio, ma si sintiva la stiva ancora troppo carrica. Fazio l'aspittava.

«Novità, stanotte?» fu la prima cosa che spiò al commissario.

«Nessuna. E tu che hai fatto?».

«Sono annato allo spitale di Montelusa. Ci ho perso la matinata sana sana. Nisciuno mi voliva diri nenti».

«Perché?».

«La privacy, dottore. D'altra parte io non avevo nessuna autorizzazione scritta».

«Quindi non hai combinato niente?».

«Chi gliel'ha detto?» fici Fazio tiranno fora dalla sacchetta un foglietto.

«Chi ti ha dato le informazioni?».

«Un cugino dello zio di un mio cugino che ho scoperto che travaglia là».

Le parentele, macari quelle tanto lontane da non essiri cchiù tali in qualisisiasi altra parte d'Italia, in Sicilia erano spisso l'unico sistema per aviri 'nformazioni, accelerare 'na pratica, scopriri indove era annata a finiri 'na pirsona scomparsa, trovare un posto a un figlio disoccupato, pagari meno tasse, aviri gratis i biglietti del cinema e tantissime altre cose che macari non era prudente fari sapiri a chi non era parente.

Dodici

«Dunque, Gurreri Gerlando, nato a Vigàta il...» principiò Fazio liggenno il foglietto.

Montalbano santiò, satò addritta, si calò in avanti traverso la scrivania, gli strappò il foglietto dalle mano. E mentri Fazio restava 'ngiarmato, l'appallottolò e lo ghittò nel cestino. Non riggiva a sintiri quelle litanie anagrafiche che inveci a Fazio piacivano assà e che gli arricordavano le 'ntricate genealogie della Bibbia, Japhet figlio di Joseph ebbe quattordici figli, Rachel, Ibrahim, Lot, Assanagor...

«E ora come faccio?» spiò Fazio.

«Mi dici quello che ti ricordi».

«Ma, doppo, il foglietto, me lo posso ripigliare?».

«Va bene».

Fazio parse rassicurato.

«Gurreri ha quarantasei anni ed è maritato con... non mi ricordo, ce l'avivo scritto sul foglietto. Abita a Vigàta in via Nicotera 38...».

«Fazio, te lo dico per l'ultima volta: lascia perdere i dati anagrafici».

«Va bene, va bene. Gurreri è stato ricoverato allo spitale di Montelusa ai primi di frivaro del 2003, la data esatta non l'arricordo pirchì l'avivo scritta nel…».

«Lassa fottere la data esatta. E se t'azzardi a ripetermi ancora che qualichi cosa ce l'avevi scritta nel foglietto, io lo piglio dal cestino e te lo faccio mangiare».

«D'accordo, d'accordo. Gurreri era senza conoscenza ed era accompagnato da un tale del quale non arricordo il nome ma che avivo scritto nel…».

«Ora ti sparo».

«Mi scusasse, m'è scappato. Questo tizio travagliava con Gurreri nella scuderia di Lo Duca. Dichiarò che Gurreri era stato incidentalmente colpito da 'na pisante sbarra di ferro, quella che serviva a chiudere l'accesso alla scuderia. A farla breve, gli hanno dovuto trapanare il cranio, o qualichi cosa di simile, pirchì un vasto ematoma gli comprimeva il ciriveddro. L'operazione arriniscì, ma Gurreri restò invalido».

«In che senso?».

«Nel senso che accomenzò ad aviri perdite di memoria, qualche mancamento, improvisi scatti di collera, cose accussì. Ho saputo che Lo Duca gli ha pagato cure e specialisti, ma che non si può diri che ci siano stati miglioramenti».

«Semmai peggioramenti, a sintiri a Lo Duca».

«Questo per quanto arriguarda lo spitale, ma ci sono altre cose».

«Cioè?».

«Prima di travagliare con Lo Duca, Gurreri si era fatto qualichi annuzzo di galera».

«Ah, sì?».

«Sissi. Furto con scasso e tentato omicidio».

«Andiamo bene».

«Oggi doppopranzo vedo di sapere che si dice di lui in pàisi».

«Va bene, vai».

«Scusasse, dottore, posso recuperare il foglietto?».

Sinni partì per Montelusa alle quattro e mezza. Deci minuti doppo che era 'n camino, qualichiduno darrè di lui gli sonò il clacson. Montalbano si misi di lato per lassarlo passare, ma quello avanzò lentamente, gli si affiancò e gli disse:

«Guardi che ha una gomma a terra».

Matre santa! E ora come faciva che non era mai arrinisciuto a cangiare 'na rota in vita sò? Fortunatamente in quel momento passava 'na machina dei carrabbineri. Isò il vrazzo mancino e quelli si fermarono.

«Ha bisogno di qualcosa?».

«Sì, grazie. Grazie infinite. Sono il geometra Galluzzo. Se poteste gentilmente cambiarmi la ruota sinistra posteriore…».

«Lei non lo sa fare?».

«Sì, ma purtroppo ho il braccio destro che ha una mobilità limitata, non può sollevare pesi».

«Facciamo noi».

Arrivò nell'ufficio di Giarrizzo con deci minuti di ritardo.

«Mi scusi, dottore, ma il traffico…».

Il quarantino pm Nicola Giarrizzo era un omone massiccio, squasi dù metri d'altizza per squasi dù di larghizza, che quanno parlava con qualichiduno gli piaciva caminare càmmara càmmara con la conseguenzia che annava continuamente a sbattiri ora contro 'na seggia ora contro l'anta di 'na finestra ora contro la sò stissa scrivania. Non pirchì gli fagliava la vista o era distratto, ma pirchì lo spazio di 'na normali càmmara da ufficio non gli abbastava, pariva un elefante dintra a 'na gabina telefonica.

Quanno il commissario gli ebbe spiegato il motivo della visita, sinni restò tanticchia in silenzio. Doppo disse:

«Mi sembra un po' tardi».

«Per cosa?».

«Per venirmi a esprimere i suoi dubbi».

«Ma vede...».

«E anche se è venuto a esprimermi certezze assolute, sarebbe troppo tardi lo stesso».

«Ma perché, mi scusi?».

«Perché ormai, quello che c'era da scrivere è stato scritto».

«Ma io sono venuto a parlare, non a scrivere».

«È lo stesso. A questo punto, qualsiasi cosa non cambierebbe nulla. Ci saranno sicuramente novità, e grosse, ma verranno fuori nel corso del dibattimento. Chiaro?».

«Chiarissimo. E infatti io sono venuto a dirle che...».

Giarrizzo isò 'na mano e lo fermò.

«Tra l'altro, non credo che questo suo modo d'agire sia poi tanto corretto. Lei, sino a prova contraria, è anche un teste».

Era vero. E Montalbano incassò. Si susì tanticchia arraggiato. Aviva fatto 'na malafiura.

«Beh, allora…».

«Che fa? Se ne va? Se l'è presa?».

«No, ma…».

«Si segga» fici il pm sbattenno contro la mezza porta lassata aperta.

Il commissario s'assittò.

«Possiamo parlare in linea puramente teorica?» proponì Giarrizzo.

Che viniva a diri in linea teorica? Per il sì o per il no, Montalbano acconsintì.

«D'accordo».

«Allora, in linea teorica, ripeto, e solo per fare accademia, mettiamo il caso che un certo commissario della polizia di Stato, che da ora in avanti chiameremo Martinez…».

A Montalbano il nome che il pm voliva dargli non gli piacì.

«Non potremmo chiamarlo in un altro modo?».

«Ma questo è un dettaglio senza nessunissima importanza! Comunque, se ci tiene, suggerisca il nome che le va a genio» disse irritato Giarrizzo sbattenno contro un classificatore.

D'Angelantonio? De Gubernatis? Filippazzo? Cosentino? Aromatis? I nomi che gli vinivano non gli sonavano giusti. S'arrinnì.

«Va bene, lasciamo Martinez».

«Allora, mettiamo che questo Martinez che ha condotto eccetera eccetera le indagini su un tale che chiameremo Salinas…».

Ma pirchì Giarrizzo era amminchiato coi nomi spagnoli?

«... le va bene Salinas?, accusato di avere sparato a un commerciante che eccetera eccetera si accorge eccetera eccetera che l'indagine ha un punto debole eccetera eccetera...».

«Scusi, chi se ne accorge?» spiò Montalbano completamente sturduto tra tutti gli eccetera.

«Martinez, no? Il commerciante, che chiameremo...».

«Alvarez del Castillo» fici Montalbano, pronto.

Giarrizzo parse tanticchia dubitoso.

«Troppo lungo. Chiamiamolo solo Alvarez. Il commerciante Alvarez però, sia pure scopertamente contraddicendosi, nega di avere riconosciuto in Salinas lo sparatore. Fino a qui ci siamo?».

«Ci siamo».

«D'altra parte Salinas afferma di avere un alibi che però non vuole rivelare a Martinez. Quindi il commissario tira dritto per la sua strada convinto che Salinas non gli voglia rivelare il suo alibi perché in realtà non ce l'ha. È esatto il quadro?».

«Esatto. A questo punto però a me... a Martinez viene un dubbio: e se Salinas l'alibi ce l'ha davvero e lo tira fuori al processo?».

«Ma questo è un dubbio che è venuto anche a coloro ai quali spettava prima la convalida dell'arresto e poi il rinvio a giudizio!» fici Giarrizzo, 'nciampicando in un tappeto e minacciando di franare supra al commissario che per un attimo ebbe lo scanto di moriri scrafazzato sutta al colosso di Rodi.

«E come l'hanno risolto il dubbio?».

«Con un supplemento d'indagini che si è concluso tre mesi fa».

«Ma io non ho...».

«Non è stato incaricato Martinez perché aveva già fatto la sua parte. In conclusione: l'alibi di Salinas sarebbe una donna, la sua amante, con la quale, a suo dire, si stava intrattenendo mentre qualcuno sparava ad Alvarez».

«Mi perdoni. Ma se Lic... ma se Salinas ha veramente un alibi, allora viene a dire che il processo si concluderà con la sua...»

«Condanna!» fici Giarrizzo.

«Perché?».

«Perché quest'alibi, nel momento in cui i difensori di Salinas lo tireranno fuori, l'accusa saprà come smontarlo. E inoltre i difensori non sanno che l'accusa è a conoscenza del nome della donna che dovrebbe fornire quest'alibi tardivo».

«Potrei sapere chi è?».

«Lei? Commissario Montalbano, che c'entra lei? Semmai dovrebbe essere Martinez a domandarlo».

S'assittò, scrisse 'na cosa supra un foglio di carta, si susì, pruì la mano a Montalbano che gliela stringì strammato.

«M'ha fatto piacere vederla. Ci rivediamo in aula».

Fici per nesciri, sbattì contro la mezza porta chiusa, la scardinò a mità, niscì. Il commissario, ancora sturduto, si calò a taliare il foglio supra la scrivania. C'era scritto un nome: Concetta Siragusa.

Tornò di cursa a Vigàta, trasì in commissariato, disse a Catarella passannogli davanti:

«Chiama a Fazio al cellulare».

Non ebbe squasi il tempo d'assittarisi che il telefono squillò.

«Che c'è, dottore?».

«Lascia perdere tutto quello che stai facendo e vieni subito qua».

«Arrivo».

E dunque oramà era chiaro che lui e Fazio si erano mittuti supra 'na strata sbagliata.

A fari le indagini supra all'alibi di Licco non era stato lui, Montalbano, ma sicuramenti i carrabbineri per incarico di Giarrizzo. E altrettanto sicuramenti i Cuffaro erano vinuti a canuscenza di quest'indagine da parte dell'Arma.

Questo viniva a significari che, qualisisiasi atteggiamento pigliava in aula, non avrebbi potuto aviri la minima influenza sull'andamento del processo.

Epperciò tutte le pressioni subite, la casa suttasupra, il tentativo d'incendio, la telefonata anonima, non arriguardavano per nenti la facenna Licco. Ma allura, che volivano da lui?

Fazio ascutò in assoluto silenzio le conclusioni alle quali era arrivato il commissario doppo la parlata con Giarrizzo.

«Forse ha ragione lei» disse alla fine.

«Leva il forse».

«Bisognerà aspettare la mossa che faranno doppo che non sono arrinisciuti ad abbrusciarle la casa».

Montalbano si dette 'na manata in fronte.

«L'hanno fatta la mossa! E mi scordai di dirtelo!».

«Che hanno fatto?».

«Una telefonata anonima».

E gliela ripitì.

«Il problema è che vossia non sapi quello che loro vogliono che faccia».

«Speriamo che con la prossima mossa, come dici tu, arrinisciamo a capirci qualichi cosa. Hai potuto sapiri altro su Gurreri?».

«Sì, ma...».

«Che c'è?».

«Ho bisogno ancora di tempo, voglio aviri un riscontro».

«Dimmela lo stisso».

«Pari che da un tri misi l'hanno arrollato».

«Chi?».

«I Cuffaro. Pari che si sono pigliati a Gurreri in sostituzione di Licco».

«Da un tri misi, dici?».

«Sissi. È 'mportante?».

«Non saprei, ma 'sti tri misi tornano sempri. Tri misi fa Gurreri abbannuna la sò casa, tri misi fa si scopre il nome dell'amante di Licco, quella che gli fornisce l'alibi, tri misi fa Gurreri veni arruolato dai Cuffaro... boh».

«Se non ha altro da dirmi» fici Fazio susennosi «io torno a parlari con una vicina di casa della mogliere di Gurreri, che ce l'ha a morte con lei. Aviva accomenzato a dirimi qualichi cosa, ma mi ha telefonato lei e ho dovuto lassarla 'n tridici».

«T'aviva già ditto qualichi cosa?».

«Sissi. Che Concetta Siragusa da qualichi misata...».

Montalbano satò addritta con l'occhi sgriddrati.

«Che hai detto?!».

Fazio squasi si scantò.

«Dottore, che dissi?».

«Ripetilo!».

«Che Concetta Siragusa, la mogliere di Gurreri...».

«Minchia d'una minchia!» fici il commissario ricadenno pisantemente supra la seggia.

«Dottore, non mi facissi priccupari! Che c'è?».

«Aspetta, lassami ripigliare».

S'addrumò 'na sicaretta. Fazio si susì e annò a chiuiri la porta.

«Prima voglio sapiri 'na cosa» disse il commissario. «Mi stavi dicenno che la vicina ti ha detto che da qualichi misata la mogliere di Gurreri... e qui ti ho interrotto. Continua».

«La vicina mi stava dicenno che la Gurreri da qualichi tempo pari scantata persino dall'ùmmira sò».

«Lo vuoi sapiri da quann'è che la Siragusa è scantata?».

«Sissi. Ma vossia lo sapi?».

«Da tri misi, Fazio, da tri misi esatti».

«Ma com'è che vossia sapi 'sti cosi di Concetta Siragusa?».

«Nenti saccio, ma posso immaginarmelo. E ora ti dico com'è annata la facenna. Tri misi fa, qualichiduno dei Cuffaro avvicina a Gurreri, che è un dilinquenti di mezza tacca e gli propone l'arrollamento nella famiglia.

A quello non gli pari vero, è come ottiniri un contratto a tempo indeterminato doppo anni di precariato».

«Mi scusasse, ma di uno come a Gurreri, che a parte tutto non ci sta con la testa, che sinni fanno i Cuffaro?».

«Ora vegnu e mi spiegu. I Cuffaro però a Gurreri gli mettono una condizione cchiuttosto pisanti».

«Cioè?».

«Che Concetta Siragusa, la mogliere, fornisca l'alibi a Licco».

Stavolta fu Fazio a strammare.

«Chi glielo disse che l'amante di Licco è la Siragusa?».

«Giarrizzo. Il nome della Siragusa non me l'ha detto, l'ha scritto supra a un foglio che ha fatto finta di scordare sul tavolo».

«Ma che significa?».

«Significa che di Gurreri i Cuffaro se ne stracatafottono, a loro interessa sò mogliere. La quali, a un certo punto, è obbligata ad accettare, con le buone o con le tinte, macari se si scanta assà. Contemporaneamente, i Cuffaro dicono a Gurreri che è meglio se lassa la sò casa, gli procureranno loro un loco sicuro indove stari».

S'addrumò un'altra sicaretta. Fazio annò a rapriri la finestra.

«E siccome Gurreri, che ora si sente forte con i Cuffaro alle spalle, si voli vendicare di Lo Duca, gli danno 'na mano d'aiuto. Sono i Cuffaro i registi dell'operazione dei cavalli, non un povirazzo come Gurreri. In conclusione: da tri misi Licco finalmenti è in grado di fornire un alibi che prima non aviva, mentri Gurreri ha avuto la vendetta che voleva. E vissero tutti felici e contenti».

«E noi…».

«E noi ce lo pigliamo in quel posto. Ma ti dico ancora di più» continuò Montalbano.

«Mi dicisse».

«A un certo punto i difensori di Licco citeranno come testimonio a Gurreri. Ci puoi scommettiri. In un modo o nell'altro arrinesciranno a farlo parlari in tribunale. E Gurreri giurerà d'aviri sempre saputo che sò mogliere era l'amante di Licco e che per questo motivo aviva abbannunato sdignato la casa, stanco delle frequenti sciarriatine con la fìmmina la quali continuava a chiangiri per il suo bello in galera».

«Se le cose stanno accussì…».

«E come vuoi che stiano?».

«… forsi è meglio se vossia torna da Giarrizzo».

«Per dirgli che cosa?».

«Quello che ha ditto a mia».

«Non ci torno manco sparato, da Giarrizzo… In primisi, pirchì m'ha fatto notare che annare da lui non è corretto. In secunnisi, lui il supplemento d'indagini l'ha affidato ai carrabbineri? Se la veda con loro. E ora tornatinni di cursa a parlari con la vicina».

Alle otto spaccate squillò il telefono.

«Dottori, ci sarebbi che c'è la signura Estera Manni».

173

Se l'era scordato, l'appuntamento, completamenti! E ora che faciva, le diciva di sì o di no? Sollevò il ricevitore, ancora 'ndeciso.

«Salvo? Sono Rachele. Hai sciolto la riserva?».

Avvertì 'na leggerissima ironia nella voci di lei che l'irritò.

«Ancora qua non ho finito».

Hai voluto fari la spiritosa? E ora cociti nel tò brodo.

«Pensi di riuscire a liberarti?».

«Beh, non so se tra un'oretta... Ma forse per te sarà troppo tardi per andare a cena».

Spirava che quella diciva che allura era meglio vidirisi un'altra sira. E invece Rachele disse:

«D'accordo, non ti preoccupare, posso cenare anche a mezzanotte».

O matre santa, e ora come faciva a fari passari un'orata senza aviri nenti a chiffari in ufficio? Pirchì si era mittuto a fari tanto il difficile? Oltretutto gli era smorcato un pititto che se lo mangiava vivo.

«Mi puoi aspettare un attimo al telefono?».

«Certo».

Posò il ricevitore supra alla scrivania, si susì, annò vicino alla finestra e fici finta di parlari ad alta voci con qualichiduno.

«Dici che non si trova?... Che è meglio rimandare a domani matino?... Va bene, d'accordo».

Fici per tornare alla scrivania, ma s'immobilizzò. Davanti alla porta c'era Catarella che lo taliava con un'ariata tra prioccupata e scantata.

«Si sente beni, dottori?».

Montalbano, senza parlari, gli fici 'nzinga col vrazzo tiso di ghirisinni immediatamente. Catarella scomparse.

«Rachele? Fortunatamente mi sono liberato. Dove vuoi che ci vediamo?».

«Dove vuoi tu».

«Hai la macchina?».

«Ingrid mi ha lasciato la sua».

Ma com'era pronta Ingrid a facilitare gli incontri tra lui e Rachele!

«A lei non serve?».

«È venuto a prenderla un amico che poi la riaccompagncrà».

Le spiegò indove si dovivano incontrare. Prima di nesciri dalla càmmara, pigliò da supra la scrivania la rivista che gli aviva portato Mimì Augello. Gli potiva serviri a tiniri in mano le retini della parlata con Rachele, se la parlata pigliava 'na piega perigliosa.

Tredici

Al posteggio del bar di Marinella s'addunò che la machina di Ingrid non c'era. Evidentemente Rachele portava ritardo. Non aviva la pricisione, più che svidisi, svizzera, della sò amica. Restò 'ndeciso se aspittarla fora o dintra al bar. Si sintiva tanticchia a disagio per quell'incontro, non lo potiva nigare. Il fatto era che non gli era capitato mai, a cinquantasei anni sonati, di rividirisi con una fìmmina, che gli era del tutto stranea, doppo aviri avuto con lei un rapido, come definirlo?, ecco, congresso carnale, come l'avrebbi chiamato il pm Tommaseo. E la ragioni vera per la quali non aviva voluto arrispunniri alle sò telefonate era pirchì si sintiva 'mpacciato assà a parlarle. 'Mpacciato e tanticchia vrigugnuso d'aviri ammostrato a quella fìmmina un aspetto di sé che sostanzialmente non gli appartiniva.

Che doviva dirle? Come doviva comportarsi? Che facci doviva fari?

Per darisi tanticchia di coraggio, scinnì dalla machina, trasì nel locale, annò al bancone e ordinò a Pino, il barista, un whisky liscio.

Aviva allura allura finuto di vivirisillo che vitti a Pino 'ngiarmarisi a taliare la porta d'entrata. 'Na statua, con la vucca aperta come lo spavintato del presepio, un bicchieri in una mano e uno straccio nell'altra.

Si voltò.

Rachele era appena trasuta.

Era di un'eleganza che faciva spavento, ma la sò billizza scantava chiossà.

Parse che la sò prisenza aviva aumentato di colpo il voltaggio delle lampate addrumate. Pino era addivintato di màrmaro, non arrinisciva a cataminarisi.

Il commissario le annò incontro. E lei fu veramenti 'na gran signura.

«Ciao» disse sorridendogli, l'occhi azzurri sparluccicanti d'autentico piaciri di vidirlo. «Eccomi qua».

E non accennò a vasarlo o a farisi vasare pruiennogli 'na guancia.

Montalbano si sintì invadere da un'ondata di gratitudine: in un attimo si ritrovò a suo agio.

«Vuoi un aperitivo?».

«Preferirei di no».

Montalbano si scordò di pagari il whisky. Pino era ancora nella stissa 'ntifica posizione di prima, affatato. Nel parcheggio, Rachele spiò:

«Hai deciso dove andare?».

«Sì. A Montereale marina».

«È sulla strada per Fiacca, mi pare. Pigliamo la tua o quella di Ingrid?».

«Pigliamo quella di Ingrid. Ti dispiace se guidi tu? Io mi sento un po' stanco».

Non era vero, ma il whisky gli aviva fatto effetto. Ma com'era possibile che dù dita di whisky gli facivano firriare la testa? O forse era la miscela di whisky e di Rachele che era micidiale?

Partero. Rachele aviva 'na guida sicura, annava veloce, certo, ma tiniva 'na pricisa regolarità di passo. Ad arrivari a Montereale ci misiro deci minuti.

«Ora guidami tu».

Di colpo, sempre per quell'effetto della miscela micidiale, il commissario si scordò la strata.

«Mi pare che sia a destra».

La strata a destra, che era 'na sterrata, finiva davanti a 'na casa rustica.

«Allora bisogna tornare indietro e girare a sinistra».

Manco quella arrisultò giusta, finiva davanti a un magazzino del consorzio agrario.

«Forse bisogna andare dritto» concludì Rachele.

E infatti arrisultò essiri finalmenti la strata giusta.

Doppo un'altra decina di minuti erano assittati al tavolino di un ristorante indove il commissario era stato qualichi volta, trovannosi sempre a mangiarvi bono.

Il tavolino che scigliero era assistimato sutta a un priolato, propio al principio della pilaja. Il mari era a 'na trentina di passi e sciacquettava appena appena, si capiva che non aviva tanta gana di cataminarisi. Si vidivano le stiddre, non c'era manco 'na nuvola.

C'era un altro tavolino occupato da dù cinquantini a uno dei quali la vista di Rachele fici un effetto squasi letale: il vino che stava vivenno gli annò di traverso e rischiò di moriri assuffocato. Il sò amico arriniscì a fargli ripigliare sciato in extremis a forza di granni manate darrè le spalli.

«Qui hanno un bianco che può anche servire come aperitivo…» fici Montalbano.

«Se mi tieni compagnia».

«Certo. Hai appetito?».

«Scendendo a Marinella da Montelusa non l'avevo, ora m'è venuto. Dev'essere l'aria di mare».

«Mi fa piacere. Ti confesso che a me le donne che non amano mangiare per via della paura d'ingrassare, mi…»

S'interruppì. Com'è che gli viniva di parlari accussì in cunfidenza con Rachele? Che capitava?

«Io non ho mai seguito diete» disse Rachele. «Almeno, fino ad ora non ne ho avuto fortunatamente bisogno».

Un cammareri portò il vino. Si scolarono il primo bicchiere.

«È proprio buono» fici Rachele.

Trasì 'na coppia trentina per sciglirisi un tavolo. Ma appena la picciotta vitti come il picciotto taliava a Rachele, se lo pigliò suttavrazzo e se lo portò nella parti chiusa del locale.

Il cammareri s'appresentò novamenti e, inchienno i bicchieri vacanti, spiò che volivano mangiare.

«Vuoi il primo o l'antipasto?».

«L'uno esclude l'altro?» spiò a sua volta Rachele.

«Qui servono quindici tipi diversi di antipasti. Che francamente ti consiglio».

«Quindici?»

«Anche di più».

«Vada per l'antipasto».

«E per secondo?» spiò il cammareri.

«Ci penseremo dopo» disse Montalbano.

«Porto un'altra bottiglia assieme agli antipasti?».

«Direi di sì».

Doppo tanticchia, supra al tavolo non ci fu spazio manco per una spingula.

Gammaretti, gammaroni, totani, tonno affumicato, purpette fritte di nunnato, ricci di mare, cozze e vongole, pezzetti di purpo a strascinasali, pezzetti di purpo affucato, angiovi marinate nel suco di limone, sarde sott'oglio, calamaretti minuscoli fritti, calamaretti e seppie conditi con l'arancio e pezzetti d'acci, angiove arrutulate con la chiapparina 'n mezzo, sarde a beccafico, carpaccio di pisci spata...

Il silenzio col quali stavano a mangiare, scangiannosi ogni tanto un'occhiata d'apprezzamento per i sapuri e gli aduri, venne interrotto solamenti 'na volta, e precisamente nel passaggio dalle angiove arrutulate ai moscardini, quanno Rachele spiò:

«Che c'è?».

E Montalbano arrispunnì, sintennosi arrussicare:

«Niente».

Per qualichi minuto s'era perso a osservare la sò vucca che si rapriva, la forchetta che ci trasiva dintra mostranno per un attimo l'intimità del palato rosa come quello di 'na gatta, la forchetta che nisciva vacante ancora stringiuta dai denti sbrilluccicanti, la vucca che si richiuiva, le labbra che si movevano leggermente e ritmicamente mentre lei masticava. Aviva 'na vucca che sturdiva sulo a taliarla. E in un lampo Montalbano s'arricordò della sira di Fiacca, quanno s'era affatato a taliarle le labbra al foco della sicaretta.

Alla fine degli antipasti Rachele disse:

«Dio mio!».

E fici 'na longa sospirata.

«Tutto a posto?».

«A postissimo».

Il cammareri vinni a sparecchiare.

«Che ordinano per secondo?».

«Non potremmo aspettare un poco?» proponì Rachele.

«A comodo loro».

Il cammareri s'allontanò. Rachele sinni stette in silenzio. Po', tutto 'nzemmula, si inchì il bicchieri di vino, pigliò il pacchetto di sicarette e l'accendino, si susì, scinnì la scaliceddra di dù gradini che portava alla pilaja, si livò le scarpi col sulo movimento dei pedi e delle gambe e s'avviò verso il mari. Arrivata a ripa si fermò, con il mari che le accarizzava i pedi.

Non aviva ditto a Montalbano di seguirla, priciso 'ntifico come la sira di Fiacca. E il commissario sinni restò al tavolino. Po', doppo 'na decina di minuti, la vitti che tornava. Prima d'acchianari la scala si rimise le scarpi.

Quanno s'assittò davanti a lui, Montalbano ebbe la 'mpressioni che l'azzurro dell'occhi di Rachele era tanticchia cchiù sbrilluccicante del normale. Rachele lo taliò e gli sorridì.

E allura capitò che dall'occhio mancino della fìmmina 'na lagrima, che era restata suspisa a mezzo, le colò supra la guancia.

«Mi dev'essere entrato un granello di sabbia» disse Rachele dicenno un'evidente farfantaria.

Il cammareri si ripresentò come un incubo.

«I signori hanno scelto?».

«Che avete?» spiò Montalbano.

«Abbiamo frittura di pesce, pesce alla griglia, pescespada come lo volete voi, triglie alla livornese...».

«Vorrei solo un'insalatina» disse Rachele.

E rivolta al commissario:

«Scusami, ma non ce la faccio».

«Figurati. Anch'io prendo un'insalatina. Però...».

«Però?» fici il cammareri.

«Mettici dentro anche olive verdi e nere, sedani, carote, capperi e tutto quello che passa per la testa al cuoco».

«Anch'io la voglio così» dichiarò Rachele.

«Desiderano un'altra bottiglia?».

C'era restata 'na quantità bastevole per altri dù bicchieri, uno a testa.

«Per me basta» disse lei.

Montalbano fici 'nzinga di no e il cammareri sinni annò, forsi tanticchia sdilluso per l'ordinazione scarsa.

«Scusami per poco fa» disse Rachele. «Mi sono alzata e me ne sono andata senza dirti niente. Però... insomma, non volevo mettermi a piangere davanti a te».

Montalbano non raprì vucca.

«A volte, ma purtroppo assai raramente, mi capita» continuò lei.

«Perché dici purtroppo?».

«Sai, Salvo, è molto difficile che io pianga per un dispiacere o per un dolore. Tutto rimane dentro di me. Sono fatta così».

«In commissariato ti ho vista piangere».

«Quella è stata la seconda o terza volta in vita mia. Invece, pensa che strano, mi viene un pianto incontrollabile in certi momenti di... felicità, no, è una parola troppo grossa, meglio dire quando mi sento una gran calma dentro, tutti i nodi sciolti, tutte le... Basta, non voglio annoiarti con la descrizione dei miei stati d'animo».

Macari stavolta Montalbano non disse nenti.

Ma si stava addimannanno quante Rachele diverse c'erano in Rachele.

Quella che aviva accanosciuta la prima volta al commissariato era 'na fìmmina intelligenti, razionalc, ironica, controllatissima; quella con la quali aviva avuto a chiffari a Fiacca era 'na fìmmina che lucidamente aviva ottenuto quello che voliva e nello stisso tempo capace di scatinarisi in un attimo pirdenno ogni lucidità, ogni controllo; quella che ora aviva davanti era invece 'na fìmmina vulnerabile che gli aviva ditto, senza dirglielo apertamente, quanto era 'nfelici, quanto erano rari per lei i momenti di serenità, di paci con se stessa.

Ma d'altra parte, che ne sapiva lui delle fìmmine?

Madamina, il catalogo è questo, ed è un catalogo ben misero: 'na relazione prima di Livia, Livia, la picciotta ventenne della quali non voliva fari cchiù il nome e Rachele.

E Ingrid? Ma Ingrid era 'na facenna a parte, nel loro rapporto, la linea di demarcazione tra l'amicizia e qualichi cosa di diverso era veramente sottile assà assà.

Certo, fìmmine ne aviva accanosciute, e tante, nel corso di tutte le indagini che aviva fatto, ma si trattava sempri di canuscenze in condizioni particolari, nelle quali le fìmmine avivano tutto l'interesse a mostrarsi a lui diverse da quelle che in realtà erano.

Il cammareri portò l'insalata. Arrifriscò lingua, palato e pinseri.

«Vuoi un whisky?».

«Perché no?».

L'ordinarono e l'ebbero subito. Ora era vinuto il momento di parlari della facenna che stava a cuore a Rachele.

«Avevo portato una rivista, ma l'ho lasciata in macchina» principiò Montalbano.

«Che rivista?».

«Quella dove c'erano le fotografie dei cavalli di Lo Duca. Te ne ho accennato per telefono».

«Ah, sì. E mi pare di averti detto che il mio aveva una macchia sul fianco a forma di stella. Povero Super!».

«Ma come t'è venuta questa passione per i cavalli?».

«Me l'ha trasmessa mio padre. Certamente non sai che sono stata una campionessa a livello europeo».

Montalbano ammammalucchì.

«Davvero?».

«Sì. Ho anche vinto due volte il concorso a Piazza di Siena, ho vinto a Madrid e a Longchamps... Vecchie glorie».

Ci fu 'na pausa. Montalbano addecise di jocare a carte scoperte.

«Perché hai insistito per vedermi?».

Lei sussultò, forsi per l'attacco diretto che non s'aspittava. Po' raddrizzò le spalle e il commissario accapì che ora aviva davanti la Rachele della prima volta in commissariato.

«Per due ragioni. La prima è strettamente personale».

«Dilla».

«Siccome non credo che, una volta partita, ci rivedremo più, volevo chiarirti il mio comportamento a Fiacca. Per non lasciarti un ricordo deformato di me».

«Non c'è bisogno di nessun chiarimento» fici Montalbano tornanno di colpo a sintirisi a disagio.

«Invece sì. Ingrid, che mi conosce bene, avrebbe dovuto in qualche modo metterti sull'avviso che io... non so come dire...».

«Se non sai come dirlo, non lo dire».

«Se un uomo mi piace, mi piace veramente, profondamente, cosa che non mi capita spesso, non posso fare a meno di... cominciare con lui da quello che per le altre è il punto d'arrivo. Ecco. Non so se mi sono...».

«Ti sei spiegata perfettamente».

«Dopo, i casi sono due. O di quella persona non voglio più sentirne nemmeno parlare oppure cerco di tenermelo in qualunque modo vicino, da amico, amante... E quando ti ho detto che m'eri piaciuto, tra parentesi Ingrid m'ha riferito che ci sei rimasto male, non pensavo a quello che c'era stato poco prima tra noi, ma a come sei fatto, a come agisci... insomma, a te come uomo nel suo insieme. Capisco come la mia frase possa avere creato un equivoco. Ma non mi sono sbagliata, se mi stai regalando una serata come questa. Chiuso l'argomento».

«E la seconda ragione?».

«Riguarda i cavalli rubati. Ma ci ho ripensato e non so se sia più il caso di parlartene».

«Perché no?».

«Perché tu m'hai detto che non ti occupi dell'indagine. Non vorrei dirti cose che per te possono essere solo una noia in più di quelle che hai».

«Se vuoi, puoi parlarmene lo stesso».

«L'altro giorno ho accompagnato Sciscì alla scuderia e vi abbiamo trovato il veterinario che era venuto a fare il controllo abituale».

«Come si chiama?».

«Mario Anzalone. È molto bravo».

«Non lo conosco. Che è successo?».

«Il veterinario, parlando con Lo Duca, sosteneva di non riuscire a capire perché avessero rubato Rudy e non Raggio di luna, il cavallo che ho montato a Fiacca».

«Perché?».

«Diceva che se c'era un competente tra i ladri, sicuramente avrebbe dovuto preferire Raggio di luna a Rudy, in primo luogo perché Raggio di luna era di gran lunga un cavallo migliore di Rudy e in secondo luogo perché era chiaro che Rudy era malato e di difficile guarigione, tanto che lui stesso, per risparmiargli l'agonia, aveva proposto d'abbatterlo».

«E Lo Duca come aveva reagito, lo sai?».

«Sì. Aveva risposto che era troppo affezionato a quel cavallo».

«Di che era malato?».

«Di arterite virale, sono delle lesioni alle pareti delle arterie».

«Insomma, è come se i ladri, entrati in un autosalone di lusso, avessero rubato una macchina costosissima e una cinquecento scassata».

«Suppergiù è così».

«La malattia è infettiva?».

«Beh, sì. E infatti, durante il ritorno a Montelusa, mi sono risentita con Scisci. Ma come? Me l'hai detto tu che avresti volentieri ospitato il mio cavallo e me lo vai a mettere accanto ad uno malato?».

«Le altre volte dove l'avevi tenuto?».

«A Fiacca, dal barone Piscopo».

«E Lo Duca come si è difeso?».

«M'ha detto che la malattia del suo cavallo non era più in fase infettiva. Anche se ormai, date le circostanze, era una cosa assolutamente inutile, aggiunse, potevo telefonare al veterinario che avrebbe sicuramente confermato».

«Però stava morendo».

«Già».

«Allora a che scopo rubarlo?».

«Per questo ho voluto vederti. Me lo sono chiesta e sono arrivata a una conclusione che contraddice quella che Scisci ti ha detto a Fiacca».

«Cioè?».

«Che volevano rubare e ammazzare solo il mio cavallo, ma essendo Rudy quasi identico a Super, non hanno capito quale era il mio e se li sono portati via tutti e due. Volevano che Scisci fosse sputtanato e così è avvenuto».

Era un'ipotesi che in commissariato avivano già fatta.

«Hai letto il giornale di ieri?» continuò Rachele.

«No».

«Nel "Corriere dell'Isola" si dava grande spazio al furto dei due cavalli. I giornalisti ignorano però che il mio è stato ammazzato».

«Come l'avranno saputo?».

«Ma a Fiacca tutti m'hanno visto montare un cavallo non mio! E qualcuno avrà fatto delle domande. Super era un cavallo che aveva vinto molte corse importanti, era conosciutissimo nel mondo dell'ippica».

«Sempre montato da te?».

Rachele arridì a modo sò.

«Magari!».

Po' si fermò e spiò:

«Levami una curiosità: hai mai assistito a una vera corsa, a un concorso ippico?».

«Quella di Fiacca è stata la prima volta».

«Il calcio ti appassiona?».

«Quando gioca la nazionale, guardo qualche partita. Ma preferisco vedere le gare di Formula 1, forse perché non ho mai saputo guidare bene una macchina».

«Ma Ingrid m'ha detto che nuoti tanto!».

«Sì, ma non per sport».

Si finero di viviri il whisky.

«Lo Duca si è informato alla questura di Montelusa a che punto è l'indagine?».

«Sì. Gli hanno risposto che non ci sono novità. E temo che non ce ne saranno».

«Non è detto. Vuoi un altro whisky?».

«No, grazie».

«Che vuoi fare?».

«Se non ti dispiace, vorrei tornare a casa».

«T'è venuto sonno?».

«No. Ma ho voglia di mettermi a letto e coccolarmi a lungo i momenti di questa serata».

Al posteggio del bar di Marinella, all'atto di salutarsi, a tutti e dù vinni naturale abbrazzarisi e vasarisi.

«Ti tratterrai ancora?».

«Almeno altri tre giorni. Domani ti telefono per un saluto. Vuoi?».

«Sì».

Quattordici

Raprì l'occhi che già faciva jorno. E quella matina non gli vinni di richiuirli subito in signo di rifiuto del jorno stisso. Forsi pirchì aviva passato 'na bona nuttata, tutto un sonno filato da quanno s'era addrummisciuto a quanno si era arrisbigliato, cosa più che rara nell'ultimi tempi.

Restò corcato a taliare il joco di luci e ùmmire continuamenti variate che i raggi del soli, passanno attraverso le stecche della persiana, proiettavano supra al soffitto della càmmara. Un omo che caminava nella pilaja addivintò 'na figura alla Giacometti, pariva fatta di fili di lana 'ntricciati.

S'arricordò che da piccilidro era capace di starsene per un'orata intera con l'occhio fisso dintra a un caleidoscopio, che gli aviva accattato sò zio, affatato dal continuo cangiamento di forme e colori. Sò zio gli aviva accattato macari un revorbaro di latta, che le cartucce erano cerchietti di carta rosso-scuro punteggiati da tanti piccoli rigonfiamenti nìvuri che si 'nfilavano supra al tamburo e a ogni colpo facivano ciac ciac...

Quel ricordo lo riportò di colpo alla sparatoria tra Galluzzo e i dù 'ntinzionati ad abbrusciargli la casa.

E pinsò macari a quant'era strammo che quelli che volivano da lui qualichi cosa, che lui non sapiva qual era, avivano fatto passari squasi ventiquattro ore senza farisi cchiù vivi. E diri che parivano aviri tanta prescia! Com'è che ora gli lassavano le rètini sul collo?

A questa dimanna che si fici, gli vinni da ridiri pirchì mai, prima di allura, gli era vinuto di pinsari adoperanno termini che si riferivano ai cavaddri.

Era 'na conseguenza dell'indagine che stava facenno o era pirchì, sutta sutta, gli era ancora presente la sirata passata con Rachele?

Certo che Rachele era 'na fìmmina che...

Sonò il telefono.

E Montalbano satò dal letto, cchiù per scapparsene a gran velocità dal pinsero di Rachele che per la prescia d'annari a rispunniri.

Erano le sei e mezza.

«Ah dottori dottori! Catarella sono!».

Gli vinni gana di garrusiare.

«Come ha detto, scusi?» fici cangianno vuci.

«Catarella sono, dottori!».

«Quale dottore cerca? Questo è il pronto soccorso veterinario».

«O matre santa! Mi scusasse, mi sbagliai».

Richiamò subito.

«Pronti? È l'imbulatorio veterinario?».

«No, Catarè. Montalbano sono. Aspetta un momento che ti do il numero dell'ambulatorio».

«Nonsi, non lo voglio all'ambulatorio!».

«E allora pirchì lo chiami?».

«Nun lo saccio. Scusasse, dottori, confuso sono. Può riattaccari che accomenzo da capo?».

«Va bene».

Richiamò per la terza volta.

«Dottori, vossia è?».

«Io sono».

«Che faciva, durmiva?».

«No, ballavo il rockenroll».

«Davero? Lo sapi abballari?».

«Catarè, dimmi che fu».

«Un catafero attrovaro».

E come ti sbagli? Se Catarella telefonava alle sett'albe, viniva a diri che c'era un morto matutino.

«Di mascolo o di fìmmina?».

«Trattasi di sesso mascolino».

«Dove l'hanno trovato?».

«In contrata Spinoccia».

«E dov'è?».

«Non lo saccio, dottori. Comungue, ora passa a pigliarlo Gallo».

«A chi? Al morto?».

«Nonsi, dottori, a vossia di pirsona pirsonalmenti. Gallo veni con la machina e ci lo trasporta lui stisso in loco che sarebbi all'allocalità di contrata Spinoccia».

«Ma non ci poteva andare Augello?».

«Nonsi, in quanto che al momento dell'acchiamata che gli feci la mogliere arrisposi che attrovavasi fora di casa».

«Ma non ha un telefonino?».

«Sissi. Ma trattasi di tilifinino astutato».

Ma figurati se alle sei del matino Mimì era nisciuto! Sicuramenti dormiva della bella. E aviva ditto a Beba di diri 'na farfantaria.

«E Fazio dov'è?».

«È già partitosi con Galluzzo per la suddetta allocalità».

Gallo tuppiò alla porta che lui aviva ancora la facci 'nsapunata.

«Trasi, tra cinque minuti sono pronto. Ma dov'è 'sta contrada Spinoccia?».

«A casa di Dio, dottore. 'N campagna, 'na decina di chilometri sutta a Giardina».

«Sai niente del morto?».

«Nenti di nenti, dottore. Mi telefonò Fazio dicennomi di passare a pigliarlo e io lo venni a pigliare».

«Ma tu lo sai come arrivarci?».

«In teoria, sì. Taliai sulla carta».

«Gallo, guarda che siamo supra a 'na trazzera, non siamo supra alla pista di Monza».

«Lo so, dottore, per questo vado piano».

E doppo cinco minuti:

«Gallo, ti ho detto di non correre!».

«Sto andando pianissimo, dottore».

Annare pianissimo, supra a una fitusa trazzera tutta scaffe, sdirrupi, fossi, pirtusa che parivano fatti da bumme, e pruvolazzo a tinchitè, per Gallo significava mantinirisi attorno agli ottanta.

Stavano traversanno 'na terra sdisolata, arsa, gialla, con qualichi raro àrbolo stento. Era un paisaggio che a Montalbano piaciva assà. L'ultimo daduzzo bianco di 'na casa l'avivano lassato alle loro spalli già da un chilometro. Avivano 'ncontrato sulamenti un carretto che da Vigàta acchianava verso Giardina e una mula con un viddrano che annava in senso inverso.

Passata 'na curva, vittiro a 'na certa distanza la machina del commissariato e uno scecco. L'asino, che sapiva benissimo che torno torno non c'era nenti da mangiari e sinni stava perciò scoraggiato allato alla machina, li taliò arrivare con scarsissimo interesse.

Gallo ghittò la machina fora della trazzera con una sterzata tanto 'mprovisa che il commissario abboccò tutto di lato a malgrado della cintura di sicurezza e si sintì staccare la testa dal resto del corpo. Si misi a santiare.

«Non ti potevi fermare tanticchia cchiù avanti?».

«Mi fermo qua, dottore, accussì lasso posto per le altre machine quanno arrivano».

Scinnero. Allura s'addunaro che al di là della machina del commissariato, sul lato mancino della trazzera, assittati 'n terra vicino a 'na para di troffe di saggina, c'erano Fazio, Galluzzo e un viddrano che mangiavano. Il viddrano aviva tirato fora dalla visazza pani di frumento e tumazzo e aviva fatto le parti.

Un quatretto idilliaco, campestre, 'na specie di déjeuner sur l'herbe.

Dato che il soli già quadiava assà, erano tutti in maniche di cammisa.

Appena Fazio e Galluzzo vittiro comparire il commissario, si susero addritta 'nfilannosi le giacchette. Il viddrano restò assittato. Ma si portò 'na mano alla coppola, in una speci di saluto militare. Minimo, aviva un'ottantina d'anni.

Il morto indossava sulo un paro di mutanne e stava affacciabbocconi, parallelo alla strata. Tanticchia sutta alla scapola mancina, spiccava la ferita, con scarso sangue torno torno, fatta da un colpo d'arma da foco. Dal vrazzo destro, un muzzicuni gli aviva asportato un pezzo di carni. Supra alle dù ferite, un centinaro di musche.

Il commissario si calò a taliare il vrazzo muzzicato.

«Cani fu» disse il viddrano, agliuttenno l'ultimo muccuni di pani e tumazzo. Po' dalla visazza cavò 'na buttiglia di vino, la stappò, si fici 'na sucata, rimittì tutto a posto.

«L'avete scoperto voi?».

«Sissi. Stamatina che stavo passanno con lo scecco» fici il viddrano susennosi.

«Come vi chiamate?».

«Contrera Giuseppi e non ho le carte macchiate».

Ci tiniva a dirlo allo sbirro che era incensurato. Ma come aviva fatto ad avvertire il commissariato da quel deserto? Con un piccione viaggiatore?

«Avete chiamato voi?».

«Nonsi, mè figlio».

«E dov'è vostro figlio?».

«A la sò casa, a Giardina».

«Ma era con voi quando avete scoperto…».

«Nonsi, non era con mia. Nella sò casa era. Lui ancora durmiva, 'u signurinu. Lui il raggiuneri fa».

«Ma se non era con voi…».

195

«Mi permette, dottore?» fici Fazio intervenenno. «L'amico Contrera, appena si è accorto del morto, ha chiamato il figlio e...».

«Sì, ma come l'ha chiamato?».

«Con chisto» disse il viddrano cavanno dalla sacchetta un cellulare.

Montalbano strammò. Il viddrano era vistuto come un viddrano d'un tempo, cazùna di fustagno, scarpi firrate, cammisa senza colletto e gilecco.

Quell'aggeggio stonava tra le sò mano accussì chini di caddri che parivano 'na carta giografica in rilievo delle Alpi.

«Ma allora perché non ci avete chiamato direttamente voi?».

«In primisi» arrispunnì il viddrano «io con chisto saccio sulo chiamari a mè figlio, e in secunnisi, comu minchia faciva a sapiri il nummaro vostro?».

«Il cellulare» spiegò ancora Fazio «al signor Contrera gliel'ha regalato il figlio, il quale teme che il padre, data l'età...».

«Mè figliu Cosimo è 'nu strunzu. Raggiuneri e strunzu. Pinsasse alla sò saluti e no alla mia» dichiarò il viddrano.

«Hai pigliato le sue generalità e l'indirizzo?» spiò Montalbano a Fazio.

«Sì, dottore».

«Allora voi potete andare» disse Montalbano a Contrera.

Il viddrano salutò militare e annò a 'nfurcari lo scecco.

«Hai avvertito tutti?».

«Già fatto, dottore».

«Speriamo che arrivano presto».

«Dottore, come minimo ancora ci vorrà 'na mezzorata, sempre che tutto va bene».

Montalbano pigliò 'na rapita decisione.

«Gallo!».

«Agli ordini».

«Quanto dista da qua Giardina?».

«Con questa strata, direi un quarto d'ura».

«Allora andiamoci a fari un cafè. Voi lo volete che ve lo porto?».

«Nonsi, grazie» arrispunnero in coro Fazio e Galluzzo che dovivano ancora aviri nella vucca il sapori di pani e tumazzo.

«Ti ho detto di non correre!».

«E chi corre?».

E infatti, doppo 'na decina di minuti che caminavano a ottanta, comu fu e comu non fu, la machina s'attrovò col cofano 'nfilato dintra a un fosso granni quanto la trazzera stissa e con le dù rote di darrè che squasi firriavano nell'aria.

La manopera di disincaglio, ammuta tu che ammutto io, ora al volante Gallo ora al volante Montalbano, tra santioni e vociate, e 'na sudatazza che assammarò le cammise, durò 'na mezzorata. In più, il parafango mancino si era deformato e strisciava contro la rota. Gallo fu finalmente obbligato a caminare chiano.

'Nzumma, tra 'na cosa e l'altra, tornaro a Spinoccia che era passata chiossà di un'orata.

C'erano tutti, meno il pm Tommaseo. Montalbano si preoccupò per l'assenza. Quello chi sa quanno s'arricampava, gli avrebbi fatto perdiri la matinata sana sana. Guidava pejo di un cieco, annava a sbattiri contro ogni àrbolo che incontrava.

«Si hanno notizie di Tommaseo?» spiò a Fazio.

«Ma il dottor Tommaseo è già andato via!».

E che era addivintato, Fangio quanno faciva la carrera messicana?

«Fortunatamente si è fatto dare un passaggio dal dottor Pasquano», proseguì Fazio «ha dato il via libera per la rimozione e si è fatto riaccompagnare a Montelusa da Galluzzo».

La Scientifica aviva finuto di scattare la prima serie di fotografie, Pasquano fici voltare il catafero. Doviva aviri avuto 'na cinquantina d'anni o forsi qualichi cosa di meno. Supra al petto, non c'era traccia d'uscita del proiettile che l'aviva ammazzato.

«Lo conosci?» spiò il commissario a Fazio.

«Nonsi».

Il dottor Pasquano finì d'esaminare il catafero santianno contro le musche che dal morto passavano supra alla sò facci e viceversa.

«Che mi dice, dottore?».

Pasquano fici finta di non avirlo sintuto. Montalbano arripitì la dimanna facenno a sua volta finta di cridiri che il dottore non aviva sintuto. Allura Pasquano taliò a Montalbano malamente, livannosi i guanti. Era tutto sudato e russo 'n facci.

«Che le devo dire? Che è 'na bella jornata».

«Stupenda, vero? Che mi dice del morto?».

«Lei è cchiù camurrioso di queste musche, lo sa? Ma che minchia vuole che le dica?».

Doviva aviri perso al poker, la sira avanti, al circolo. Montalbano s'armò di santa pacienza.

«Facciamo accussì, dottore. Mentre lei parla, io le asciuco il sudore, le caccio via le mosche e ogni tanto le bacio la fronte».

A Pasquano vinni d'arridiri. E po' disse, tutto d'un sciato:

«L'hanno ammazzato con un colpo alle spalle. E questo non c'era bisogno che glielo dicevo io. Il proiettile non è fuoriuscito. E macari questo non c'era bisogno che glielo dicevo io. Non l'hanno sparato qua pirchì, e questo lo può capire macari lei da solo, uno non si mette a caminare in mutanne manco supra a 'na fitusa trazzera come a chista. Dev'essere morto, e puro questo lei ha esperienza bastevole a capirlo, da ventiquattr'ore minimo. In quanto al morso al braccio, macari un cretino capirebbe che è stato un cane. In conclusione, non c'era nisciun bisogno che lei mi obbligava a parlare facennomi spardare il sciato e scassannomi solennemente i cabasisi. Mi sono spiegato?».

«Perfettamente».

«E allura buongiorno a questa bella compagnia».

Voltò le spalle, acchianò in machina e sinni partì.

Vanni Arquà, il capo della Scientifica, continuava a

fari spardare rollini di fotografie inutili. Di milli che ne scattava, sulo dù o tri sarebbiro state 'mportanti. Stuffato, il commissario arrisorbì di tornarisinni. Tanto, che ci stava a fari?

«Io me ne vado» disse a Fazio. «Ci vediamo in commissariato. Gallo, andiamo?».

Non salutò Arquà, del resto manco Arquà l'aviva salutato quanno era arrivato. Non si potiva certo diri che si facivano simpatia.

Nella faticata che aviva fatto per tirare fora la machina dal fosso, il pruvolazzo non sulo gli aviva allordato i vistiti, ma gli era trasuto dintra alla cammisa e il sudore glielo aviva 'mpicciato supra la pelli.

Non se la sintiva di passari la jornata in commissariato in quelle condizioni. Del resto, era già squasi mezzojorno.

«Portami a Marinella» disse a Gallo.

Raprenno la porta di casa, accapì subito che Adelina aviva finuto il travaglio e sinni era ghiuta.

Annò dritto 'n bagno, si spogliò, si fici la doccia, ghittò nel cesto la robba lorda, po' annò in càmmara di dormiri e raprì l'armuàr per sciglirisi un vistito pulito. S'addunò che tra i cazùna cinni stava un paro ancora dintra al sacco di nylon della lavanderia, evidentemente Adelina l'aviva arritirato quella matinata stissa. Addecise di mettersi quello, accompagnato da 'na giacchetta che gli faciva simpatia e di incignare una delle cammise che si era accattato.

Po' si rimise 'n machina e annò alla trattoria di Enzo.

Dato che era ancora presto, nella sala c'era un sulo

cliente, oltre a lui. La televisione stava danno la notizia che il corpo di uno sconosciuto era stato trovato da un pescatore in un canneto in contrada Spinoccia. Secondo la polizia si trattava di un delitto perché nel collo dell'uomo erano stati rilevati evidenti segni di strangolamento. Pareva, ma non era confermato, che l'assassino avesse infierito con animalesca ferocia sul cadavere dilaniandolo a morsi. Delle indagini si occupava il commissario Salvo Montalbano. Maggiori particolari col prossimo notiziario.

E macari stavolta la televisione aviva assolto al compito sò che era quello di comunicare 'na notizia condendola con dettagli e con particolari o completamente sbagliati o del tutto fàvusi o di pura fantasia. E la genti ammuccava. Pirchì lo facivano? Per rendere il cchiù orripilante possibile un omicidio che già lo era di suo? Non abbastava cchiù dari la notizia di 'na morti, abbisognava suscitare orrore. Del resto l'America non aviva scatinato 'na guerra basannosi supra le farfantarie, le minchiate, le mistificazioni giurate e spergiurate dagli òmini cchiù 'mportanti del paìsi davanti alle televisioni di tutto il munno? Le quali televisioni, doppo, da parti loro, ci avivano mittuto il carrico da unnici. A proposito: e la storia dell'antrace, com'era ghiuta a finiri? Com'è che da un jorno all'altro non se n'era cchiù sintuto parlari?

«Se l'altro cliente non ha niente in contrario, potresti astutare la televisione?».

Enzo annò dall'altro cliente il quale, rivolto verso il commissario, dichiarò:

«Può farla astutare. A mia non minni futti nenti».

Era un cinquantino grosso che si stava sbafanno 'na porzione tripla di spachetti alle vongole.

Le stesse che mangiò il commissario. Doppo, si fici fari le solite triglie.

Quanno niscì dalla trattoria, giudicò che la passiata al molo non era nicissaria e perciò sinni tornò in ufficio che aviva 'na muntagna di carti da firmare.

Finì 'na gran parti del travaglio burocratico che oramà erano le cinque passate da un pezzo. Il resto stabilì di finirlo all'indomani. Posò la biro e contemporaneamente il telefono sonò. Montalbano lo taliò sospettoso. Da qualichi tempo si annava facenno sempri cchiù pirsuaso che tutti i telefoni erano dotati di un ciriveddro autonomo e pensante. Non si spiegava altrimenti come le telefonate, sempre cchiù spisso, scattavano o nei momenti opportuni o nei momenti importuni, mai nei momenti nei quali non stavi facenno nenti.

«Ah dottori dottori! Ci sarebbi che c'è la signura Estera Manni. La passo?».

«Sì. Ciao, Rachele. Come stai?».

«Benissimo. E tu?».

«Anch'io. Dove sei?».

«A Montelusa. Ma sono in partenza».

«Te ne torni a Roma?! Ma avevi detto...».

«No, Salvo, sto andando a Fiacca».

La fitta di gilusia 'mprovisa che sintì non era autorizzata. Anzi, pejo: non era giustificata. Non c'era 'na ragione al munno per avirla pruvata.

«Vado con Ingrid per una liquidazione» proseguì lei.

«Scarpe? Vestiti?».

Rachele arridì.

«No. Una liquidazione sentimentale».

E questo viniva a significare 'na cosa sula: che annava a consegnare a Guido il foglio di via.

«Ma torniamo stasera stessa. Ci vediamo domani?».

«Proviamoci».

Quindici

Manco cinco minuti appresso il telefono risonò.

«Ah dottori! Ci sarebbi che c'è il dottori Pisquano».

«Al telefono?».

«Sissi».

«Passamelo».

«Com'è che ancora non mi ha scassato i cabasisi?» esordì Pasquano con la gintilizza che lo contraddistingueva.

«Perché avrei dovuto?».

«Per sapiri i risultati dell'autopsia».

«Di chi?».

«Montalbano, questo è signo evidente di vicchiaia. Il segno che le sò cellule cerebrali si sfaldano sempre cchiù velocemente. Il primo sintomo è la perdita di memoria, lo sa? Per esempio, non le è ancora capitato di fare una cosa e un attimo doppo scordarsi d'averla fatta?».

«No. Ma lei, dottore, non ha cinque anni più di me?».

«Sì, ma l'età non significa. C'è gente che a vent'anni è già vecchia. Comunque, credo che risulti evidente a tutti che tra noi due il più rincoglionito è lei».

«Grazie. Ma mi vuole dire di quale autopsia si tratta?».

«Del morto di stamattina».

«Eh, no, dottore! Tutto potevo pensare meno che lei facesse accussì di prescia quell'autopsia! Il morto le stava simpatico? Ogni volta fa passare jornate e jornate prima di...».

«Stavolta m'è capitato d'aviri un dù orate libere e me lo sono levato dalle palle prima di pranzo. Rispetto a quello che già le dissi stamattina, ci sono due piccole novità. La prima è che ho recuperato il proiettile e l'ho subito mandato alla Scientifica che, naturalmente, si farà viva doppo la prossima elezione del Presidente della repubblica».

«Ma se quello novo l'hanno fatto manco tri misi fa!».

«Appunto».

Vero era. S'arricordò che aviva mannato a loro le spranghe di ferro con le quali avivano ammazzato il cavallo per rilevare le impronte digitali e quelli ancora non gli avivano arrispunnuto.

«E la seconda novità?».

«Ho trovato tracce di cotone idrofilo dentro la ferita».

«E che significa?».

«Significa che quello che gli ha sparato non è lo stisso di quello che è annato a ghittarlo in campagna».

«Si può spiegare meglio?».

«Certo, lo faccio volentieri soprattutto in considerazione dell'età».

«Quale età?».

«La sua, carissimo. La vicchiaia porta macari a chisto, a 'na certa lintizza di comprendonio».

«Dottore, ma pirchì non si va a fari allargari il…».

«Macari! Capace che avrei cchiù fortuna al poker! Le stavo spieganno che secunno mia qualichiduno ha sparato al futuro morto colpennolo gravemente. Un amico, un complice, o quello che era, se l'è portato a casa, l'ha spogliato e ha cercato in qualichi modo di attagnare il sangue che nisciva dalla ferita. Ma quello dev'essere morto poco dopo. Allura il soccorritore ha aspittato che si faciva scuro e po' se l'è caricato in machina ed è annato a scarricarlo in aperta campagna, il cchiù lontano possibile dalla sò casa».

«È una ipotesi plausibile».

«Grazie per aver capito senza bisogno di ulteriori spiegazioni».

«Senta, dottore, segni particolari?».

«Cicatrice d'operazione d'appendicite».

«Servirà per l'identificazione».

«Di chi?».

«Del morto, no?».

«Il morto non è mai stato operato d'appendicite!».

«Ma se l'ha appena detto!».

«Carissimo, vede, questo è un altro segno di vicchiaia. Lei ha posto la domanda in modo talmente confuso che io ho creduto che volesse sapere i miei segni particolari».

Garrusiava, babbiava. Se la scialava a fari addivintari nirbùso a Montalbano.

«Va bene, dottore, chiarito l'equivoco, torno a ripeterle la domanda in modo lineare, accussì lei non dovrà fare un eccessivo sforzo mentale che potrebbe esserle fatale: il corpo del morto del quale lei oggi ha fatto l'autopsia, presentava segni particolari?».

«Direi proprio di sì».

«Me li può dire?».

«No. È 'na cosa che preferisco mettere per iscritto».

«Ma il suo rapporto quando l'avrò?».

«Quanno avrò tempo e gana di scriverlo».

E non ci fu verso di pirsuadirlo a cangiare idea.

Stette ancora un'orata in ufficio, po', visto che né Fazio né Augello si facivano vivi, sinni tornò a Marinella.

Tanticchia prima che stava per annarsi a corcare, Livia gli telefonò. E macari stavolta la parlata tra loro dù, se non finì novamenti a schifio, poco ci ammancò.

Con le parole, oramà, non si pigliavano cchiù, non s'accapivano cchiù: era come se le parole che annavano a circari nello stisso vocabolario, avivano dù definizioni diverse e contrapposte a secondo se le usava lui o se le usava Livia. E questo doppio significato era scascione continua di equivoci, malintesi, azzuffatine.

Ma se s'attrovavano 'nzemmula e arriniscivano a stari in silenzio, l'uno allato all'altra, le cose cangiavano completamenti. Era come se i loro corpi accomenzavano prima ad annusarsi, a sciaurarsi a distanza, po' a parlari tra di loro intendendosi benissimo con un linguaggio muto, fatto di piccoli signali come 'na gamba che si spostava di qualichi centimetro per attrovarisi cchiù vicina all'altra, 'na testa che si voltava leggerissimamente verso l'altra testa. E inevitabilmente i dù corpi, sempre muti, finivano con l'abbrazzarsi disperatamente.

Durmì malamente ed ebbe macari un incubo che lo fici arrisbigliare a mità nuttata. A ripinsarlo, gli vinni da ridiri. Ma com'era possibile che sinni era stato per anni e anni senza pinsari minimamenti ai cavaddri, alle curse, alle scuderie e ora macari se l'insognava?

S'attrovava in un ippodromo che aviva tre piste che procedevano parallele. Con lui c'era il questore Bonetti-Alderighi impeccabilmente vistuto da cavaleri. Lui, con la varba longa e i capilli spittinati, invece aviva un vistitazzo, con una manica della giacchetta strazzata. Pariva un povirazzo che addimannava la limosina. La tribuna era china china di pirsone che facivano voci e si sbracciavano.

«Augello, si metta gli occhiali prima di montare!» gli ordinava Bonetti-Alderighi.

«Non sono Augello, Montalbano sono».

«Non ha importanza, se li metta lo stesso! Non vede che è cieco come una talpa?».

«Non li pozzo mittiri, li persi vinenno qua, aiu la sacchetta sfunnata» arrispunniva lui vrigugnuso.

«Penalizzato! Ha parlato in dialetto!» diciva 'na vuci da un altoparlante.

«Lo vede che mi combina?» lo rimproverava il questore.

«Mi scusi».

«Prenda il cavallo!».

Si voltava per pigliarlo ma s'addunava che il cavaddro era di bronzo e sinni stava mezzo sgonocchiato priciso 'ntifico a quello della Rai.

«Come faccio?».

«Lo tiri per la criniera!».

Appena le sò mano toccavano la criniera, il cavaddro 'nfilava la testa 'n mezzo alle sò gambe, la isava con lui supra, lo sollevava, lo faciva sciddricare lungo il collo, se lo carricava e lui s'attrovava a montarlo arriversa, con la facci verso il culu della vestia.

Sintiva arridiri dalle tribune. Allura, affruntato, si rigirava faticanno e s'agguantava alla criniera cchiù forti che potiva pirchì il cavaddro, ora addivintato di carni e sangue, non era sellato e non aviva manco rètini.

Qualichiduno sparava 'na speci di cannonata e il cavaddro partiva di cursa dirigennosi verso la pista che stava 'mezzo alle altre dù.

«No! No!» faciva voci Bonetti-Alderighi.

«No! No!» arripitiva la genti in tribuna.

«È la pista sbagliata!» gli vociava Bonetti-Alderighi.

E tutti gli facivano gesti che non distingueva pirchì vidiva sulo confuse macchie di colore dato che s'era perso l'occhiali. Capiva che il cavaddro stava facenno qualichi cosa di sbagliato, ma come si fa a diri a un cavaddro che stava sbaglianno? E po': pirchì quella pista era sbagliata?

L'accapì un attimo appresso, quanno la vestia accomenzò a caminare faticanno. Il funno della pista era fatto di rina, di sabbia come a quella di una pilaja. Ma fina fina e profunna, tanto che le zampe del cavaddro, a ogni passo, ci sprufunnavano dintra completamenti. Era 'na pista di sabbia. Propio a lui doviva capitare? Allura tentava di spostare la testa della vestia a mano manca, in modo che pigliava l'altra pista. Ma in quel momento s'addunava che le dù piste parallele non c'erano cchiù, era scomparso l'ippodromo con i recinti e la tribuna e macari la pista supra alla quali s'attrovava lui non c'era cchiù pirchì tutto era addivintato di colpo un oceano di sabbia.

Ora, a ogni stentato passo che faciva, l'armàlo affunnava chiossà, e di conseguenzia a lui la rina prima gli cummigliava le gammi, po' la panza e po' ancora il petto. Po', sutta di lui, sintiva che il cavaddro non si cataminava cchiù, morto assuffcato dalla sabbia.

Tentava di scinniri dalla vestia, ma la rina lo tiniva 'mprigionato. Allura accapiva che sarebbi morto in quel deserto e mentri accomenzava a chiangiri, a qualichi passo da lui si materializzava un omo del quali, sempri a causa della mancanza d'occhiali, non arrinisciva a vidiri la facci.

«Tu lo sai come nesciri fora da 'sta situazioni» gli diciva l'omo.

Lui voliva arrispunniri, ma appena rapruta la vucca la rina gli trasiva dintra, accomenzanno ad assuffcarlo.

Nel dispirato tentativo di tirare sciato, s'arrisbigliò.

Aviva fatto 'na speci di marmellata di fantasia e di fatti che gli erano capitati. Ma che viniva a significari che lui curriva supra a una pista sbagliata?

Arrivò in ufficio cchiù tardo del solito, pirchì era dovuto annare in banca dato che aviva trovato nella cassetta 'na littra che amminazzava il taglio della luce a causa del mancato pagamento dell'ultima bolletta. Ma di questi pagamenti aviva dato incarico alla banca! Fici 'na fila di squasi un'orata, consignò il sollecito all'impiegato, quello accomenzò a fari ricerche e arrisultò che la bolletta era stata pagata a tempo debito.

«Ci sarà stato un disguido, dottore».

«E io che devo fare?».

«Non si preoccupi, ci pensiamo noi».

Da tempo meditava di riscriviri la Costituzione. Dato che lo facivano porci e cani, pirchì non lo potiva fari macari lui? L'articolo primo sarebbi stato accussì concepito: «L'Italia è una repubblica precaria fondata sui disguidi».

«Ah dottori dottori! Questa busta la Scintifica ora ora ci la mannò!».

La raprì mentri annava nella sò càmmara.

Conteneva 'na poco di fotografie della facci del morto di contrata Spinoccia con i dati relativi d'età, altizza, colore dell'occhi... Non c'era nisciuna indicazione di segni particolari.

Era inutile passarle a Catarella dicennogli di circare nell'elenco delle pirsone scomparse 'na facci che gli assimigliava. Le stava rimittenno dintra alla busta quanno trasì Mimì Augello. Le tirò novamenti fora e gliele pruì.

«L'hai mai visto?».

«È il morto trovato a Spinoccia?».

«Sì».

Mimì 'nforcò l'occhiali. Montalbano s'agitò squieto supra la seggia.

«Mai visto» fici Augello posanno foto e busta supra la scrivania e rimittennosi l'occhiali dintra al taschino.

«Me li fai provare?».

«Che cosa?».

«L'occhiali».

Augello glieli dette, Montalbano se li mise e ogni cosa gli addivintò come 'na fotografia fora foco. Se li levò e li ridette a Mimì.

«Con quelli di mio padre ci vedo meglio».

«Ma tu non puoi spiare a ogni pirsona che incontri con l'occhiali di farteli provare! Tu devi annare semplicemente dall'oculista! Quello ti visita e ti prescrive...».

«Va bene, va bene. Un jorno o l'altro ci vado. Com'è che aieri non ti ho visto per tutta la jornata?».

«Ma aieri sono stato matina e doppopranzo appresso alla facenna di quel picciliddro, Angelo Verruso».

Un picciliddro che manco aviva sei anni, tornanno a casa dalla scola, aviva accomenzato a chiangiri e non aviva voluto mangiare. Finalmenti, doppo aviri 'nsistuto a longo, sò matre era arrinisciuta a farisi diri che il maestro l'aviva fatto trasire dintra a uno sgabuzzino e gli aviva fatto fare «cose vastase». La matre aviva spiato particolari e il picciliddro le aviva contato che il maestro se l'era tirato fora e se l'era fatto toccare. La signura Verruso, fìmmina assennata, non pinsava che il maestro, un cinquantino patre di famiglia, era capace di 'na cosa simile e d'altra parti manco se la sintiva di non cridiri a sò figlio.

Siccome era amica di Beba, gliene aviva parlato. E Beba, a sua volta, ne aviva parlato a sò marito Mimì. Il quali aviva riferito tutto a Montalbano.

«Com'è andata?».

«Guarda, meglio aviri a chiffari con uno sdilinquenti che con uno di questi picciliddri. Non arrinesci mai a capiri quanno dicino la virità o quanno dicino farfantarie. E poi mi devo cataminare con cautela, non voglio cunsumare il maestro, basta che accomenza a firriari la voci e quello è rovinato...».

«Ma la tua 'mpressione qual è?».

«Che il maestro non ha fatto nenti. Non ho sentito 'na sula voci contro di lui. E po' nello sgabuzzino di cui parla il picciliddro ci trasino a malappena un catino e dù scope».

«Ma allura pirchì il picciliddro ha tirato fora 'sta storia?».

«Secunno mia, per vendicarsi del maestro che credo lo tratta male».

«Per partito preso?».

«Ma quanno mai! Vuoi sapiri l'ultima 'mprisa di Angelo? Ha cacato supra a un giornale, ha fatto un pacchetto e l'ha 'nfilato dintra al cascione della cattedra».

«Ma pirchì l'hanno chiamato Angelo?».

«I genitori, quann'è nato, non sapivano della bella arrinisciuta che avrebbi fatto il frugoletto».

«Continua ad annare a scola?».

«No, ho consigliato alla matre di farlo cridiri malato».

«Hai fatto bene».

«Buongiorno, dottori» fici Fazio trasenno.

Vitti le fotografie del morto.

«Me ne posso pigliari una? Voglio farla vidiri in giro».

«Pigliatilla. Che hai fatto aieri doppopranzo?».

«Ho continuato a spiare informazioni su Gurreri».

«Sei stato a parlare con la mogliere?».

«Non ancora. Ma ci vado in jornata».

«Che hai saputo?».

«Dottore, quello che le ha contato Lo Duca in parte torna».

«E cioè?».

«Che Gurreri ha lassato la casa da tri misi e passa. L'hanno sintuto tutti i vicini».

«Pirchì?».

«Faciva voci a sò mogliere chiamannola troia e buttana e dicenno che non sarebbi mai cchiù tornato in quella casa».

«Ha detto che voleva vendicarsi di Lo Duca?».

«Non gliel'hanno sentito dire. Ma non possono manco giurare che non l'abbia detto».

«La vicina ti ha contato altro?».

«La vicina no, ma don Minicuzzu sì».

«E chi è don Minicuzzu?».

«Uno che vinni frutta e virdura proprio di fronti al portoni della casa di Gurreri e vidi chi trasi e chi nesci».

«Che ti ha detto?».

«Dottore, secunno Minicuzzu, Licco non è mai trasuto in quel portoni. E quindi come faciva ad essiri l'amante della mogliere di Gurreri?».

«Ma lui a Licco lo conosce bene?».

214

«Bene? Era a lui che pagava il pizzo! E mi ha detto macari un'altra cosa 'mportante. 'Na notti gli vinni il pinsero che non aviva chiuiuta bona la saracinesca. Allura si susì, niscì di casa e annò a controllare. Quanno arrivò davanti al negozio, la porta di Gurreri si raprì e niscì Ciccio Bellavia che lui accanosceva beni».

E figurati se non assumava dalla fogna Ciccio Bellavia!

«E quanno capitò?».

«Chiossà di tri misi fa».

«E perciò la nostra ipotesi funziona. Bellavia va da Gurreri e gli propone un patto. Se sò mogliere fornisce l'alibi a Licco, dicenno che è la sò amanti, Gurreri veni assunto in pianta stabile dai Cuffaro. Gurreri se la pensa tanticchia e po' accetta, facenno il tiatro che lassa per sempri la casa dato che sò mogliere gli mette le corna».

«Bisogna riconoscere che l'hanno architettata bona» commentò Mimì. «Ma Minicuzzu è disposto a testimoniare?».

«Manco a pinsaricci» disse Fazio.

«Allura non abbiamo concluso nenti» fici Augello.

«Però c'è 'na cosa che bisognerebbe approfondire» disse Montalbano.

«Cioè?» spiò Fazio.

«Non sappiamo nenti della mogliere di Gurreri. Si è convinta subito pirchì le avranno offerto dinari? O l'hanno minazzata? E come reagirebbe di fronte alla possibilità d'annare a finiri in càrzaro per falsa testimonianza? Lo sapi che corre questo rischio?».

«Dottore» disse Fazio «secunno mia, Concetta Siragusa è 'na fìmmina onesta che ha avuto la disgrazia di maritarisi con uno sdilinquenti. Dal punto di vista di come si comporta, non ho sintuto voci malevole. Sono certo che l'hanno costretta. Tra i pugni, i càvuci, i pagnittuna di sò marito e quello che le avrà detto Ciccio Bellavia, la mischina non potiva che consentiri».

«Lo sai che ti dico, Fazio? Forse è stata 'na fortuna che ancora non le hai parlato».

«Pirchì?».

«Pirchì abbisogna farisi viniri un'idea per metterla in difficoltà».

«Ci potrei andare io» disse Mimì.

«E che le conti?».

«Che sono un avvocato mannato dai Cuffaro per istruirla bene su quello che deve dire al processo e accussì, parlanno parlanno…».

«Mimì, e se questo l'hanno già fatto e lei si mette in sospetto?».

«Già, è vero. Allura mandiamole 'na littra anonima!».

«Sono sicuro che non sapi leggiri e scriviri» fici Fazio.

«Allura facemu accussì» insistì ancora Mimì. «Mi vesto da parrino e…».

«La vuoi finire di sparare minchiate? Per ora nisciuno va a trovare a Concetta Siragusa. Ci pinsiamo tanticchia e quanno ci veni un'idea bona… Non c'è tutta 'sta gran prescia».

«Però l'idea del parrino era bona» disse Mimì.

Il telefono sonò.

«Ah dottori dottori! Ah dottori dottori!».

Quattro volte? Doviva essiri il signori e guistori.

«È il questore?».

«Sissi, dottori».

«Passamelo» disse, mittenno il vivavoce.

«Montalbano?».

«Buongiorno, signor questore, mi dica».

«Potrebbe venire da me subito? Scusi se la disturbo, ma si tratta di una cosa molto seria della quale non voglio parlare al telefono».

Fu il tono della voce del questore a fargli diri immediatamenti di sì.

Riattaccò e si taliaro.

«Se ha parlato accussì, dev'essere 'na cosa veramenti seria» fici Mimì.

Sedici

Nell'anticàmmara del questore, inevitabilmente, 'ncontrò al dottor Lattes, il parrinisco e cerimonioso capo di gabinetto. Ma com'è che quello sinni stava sempri a tambasiare nell'anticàmmara? Aviva tempo da spardare? Non aviva un ufficio? Non potiva rasparsi le corna nella sò càmmara? Al solo vidirlo, a Montalbano gli viniva il nirbùso. Appena lo vitti, Lattes fici la facci di chi aviva allura allura saputo d'aviri vinciuto qualichi miliardata alla lotteria.

«Che piacere vederla! Ma che gioia! Come va, come va, carissimo?».

«Bene, grazie».

«E la sua signora?».

«Se la cava».

«E i bambini?».

«Crescono, ringraziando la Madonna».

«Ringraziamola sempre».

Lattes era fissato che lui era maritato e con almeno dù figli. Doppo un centinaro di tentativi a vacante di spiegargli che era scapolo, Montalbano si era arrinnuto. E macari la frase «ringraziando la Madonna» con Lattes era d'obbligo.

«Il signor questore mi ha…».

«Bussi ed entri, l'aspetta».

Tuppiò e trasì.

Ma restò per un momento 'mparpagliato sulla porta pirchì vitti a Vanni Arquà assittato davanti alla scrivania del questore. Che ci faciva il capo della Scientifica? Partecipava macari lui all'incontro? E pirchì? Il livello d'antipatia che aviva nei riguardi d'Arquà raggiungì in un fiat la tacca massima.

«Entri, chiuda e s'accomodi».

In altre occasioni, Bonetti-Alderighi l'aviva lassato apposta sempri addritta. Pirchì potissi misurari la distanza che c'era tra lui, questore, e un commissario di un trascurabile commissariato. Stavolta invece si comportò diverso. Un attimo prima che Montalbano s'assittasse, addirittura si susì e gli pruì la mano. Il commissario accomenzò letteralmente a scantarsi. Che potiva essiri successo se il questore lo trattava con gentilizza, come a 'na pirsona normale? Da lì a cinco minuti gli avrebbi liggiuto l'atto della sò cunnanna a morti? Con Arquà si salutaro con una liggera calata di testa. Dati i loro rapporti, era già grasso che colava.

«Montalbano, ho voluto vederla perché si tratta di una faccenda assai delicata che mi preoccupa molto».

«Mi dica, signor questore».

«Ecco, come forse lei saprà il dottor Pasquano ha eseguito l'autopsia del cadavere rinvenuto in contrada Spinoccia».

«Sì, lo so. Ma il rapporto ancora non…».

«L'ho sollecitato, infatti. L'avrò nel pomeriggio. Ma

non è questo il punto. Il fatto è che il dottor Pasquano ha, con ammirevole solerzia, inviato alla Scientifica il proiettile appena estratto dal cadavere».

«Mi ha detto anche questo».

«Bene. Il dottor Arquà, esaminandolo, ha con sorpresa... ma forse è meglio che continui lui».

Vanni Arquà invece non raprì vucca. Si limitò a tirari fora dalla sacchetta 'na bustina di nylon sigillata e la pruì al commissario. Il proiettile che c'era dintra si vidiva bene, era assà deformato sì, ma sostanzialmente integro.

Montalbano non ci attrovò nenti di strammo.

«Embè?».

«È un calibro 9 parabellum» disse Arquà.

«L'ho visto da me» fici Montalbano tanticchia risentito. «E allora?».

«È un calibro di nostra esclusiva dotazione» disse Arquà.

«No, mi permetto di correggerti. Non di esclusiva dotazione della polizia. È in dotazione anche dell'Arma, della Guardia di finanza, delle forze armate...».

«Va bene, va bene» l'interrumpì il questore.

Ma il commissario fici finta di non avirlo sintuto.

«... e anche di tutti quei delinquenti, e sono tanti, la maggioranza direi, che sono riusciti ad avere, in un modo o nell'altro, armi di guerra».

«Questo lo so benissimo» disse Arquà con un sorriseddro da pigliarlo subito a pagnittuna.

«E allora dov'è il problema?».

«Procediamo con ordine, Montalbano» disse il questore. «Quello che dice è giustissimo, ma bisogna assolutamente sgombrare il campo da ogni possibile sospetto».

«Di che?».

«Che sia stato uno dei nostri ad ucciderlo. Lei ha avuto notizia di un qualche conflitto a fuoco nella giornata di lunedì scorso?».

«Non mi risulta nessun...».

«E questo, come temevo, complica le cose» disse il questore.

«Perché?».

«Perché se qualche giornalista viene a saperlo, lei s'immagina quanti sospetti, quante insinuazioni, quanto fango su di noi?».

«Basta non farlo sapere».

«Non è così semplice. E poi, se quell'uomo è stato ammazzato da uno dei nostri per motivi, diciamo così, personali, io voglio saperlo. Mi sconvolge, mi addolora e mi ripugna pensare che tra noi ci sia un assassino».

A questo punto Montalbano s'arribbillò.

«Capisco quello che prova, signor questore. Ma posso sapere perché sono stato convocato solo io? Pensa forse che un assassino debba trovarsi esclusivamente nel mio commissariato e non altrove?».

«Perché il morto è stato trovato in una zona tra Vigàta e Giardina e tanto Vigàta quanto Giardina sono territorialmente di tua competenza» disse Arquà. «Quindi è logico presumere che...».

«Ma non è logico per niente! Quel morto possono

averlo portato lì da Fiacca, da Fela, da Gallotta, da Montelusa…».

«Non si inalberi, Montalbano» intervinni il questore. «Quello che lei dice è sacrosanto, ma da un punto bisogna cominciare, no?».

«Ma perché vi amm… vi ostinate a pensare che possa essere stato qualcuno della polizia?».

«Non lo penso affatto» disse il questore. «Il mio scopo è quello di dimostrare incontrovertibilmente che non è stato uno della polizia ad ammazzarlo. E prima che comincino le voci malevole».

Aviva ragione, su questo non c'era dubbio.

«Sarà una cosa lunga, però».

«Pazienza. Ci prenderemo tutto il tempo che ci vuole, non ci insegue nessuno» disse Bonetti-Alderighi.

«Come devo procedere?».

«Intanto, deve controllare, con molta discrezione naturalmente, se dai caricatori delle pistole in dotazione agli uomini del suo commissariato manca qualche cartuccia».

E in quel priciso momento, senza fari nisciuna rumorata, la terra sutta a Montalbano si spalancò di colpo e lui ci sprufunnò dintra con tutta la seggia. Gli era tornata a menti 'na cosa. Arriniscì però a non cataminarisi, a non sudari, a non addivintari giarno. Arriniscì macari, con uno sforzo che gli costò un anno di vita, a fari un sorriseddro.

«Perché sorride?».

«Perché l'ispettore Galluzzo lunedì mattina ha sparato due colpi contro un cane che m'aveva aggredito.

Galluzzo m'aveva accompagnato a casa a Marinella in macchina e appena sceso questo cane... C'era presente anche l'ispettore capo Fazio».

«L'ha ammazzato?» s'informò Arquà.

«Non capisco la domanda».

«Se l'ha ammazzato, cerchiamo di recuperarlo, estraiamo il proiettile e ci rendiamo conto...».

«Che significa quel "se"? Che i miei uomini non sanno sparare?».

«Risponda a me, Montalbano» intervinni il questore. «L'ha preso o no?».

«No, l'ha mancato e non ha più potuto sparare perché l'arma gli si è inceppata».

«Potrei averla?» spiò gelido Arquà.

«Cosa?».

«L'arma».

«Perché?».

«Voglio fare un confronto».

Se Arquà faciva il confronto, sparanno un colpo con quella pistola, erano tutti completamente fottuti, lui, Galluzzo e Fazio. Abbisognava a tutti i costi impedirglielo.

«Richiedila in armeria. Credo che si trovi ancora lì» disse Montalbano.

Po' si susì, giarno in facci, con le mano che gli trimavano, le nasche allargate, l'occhi da pazzo e disse con la voci che gli si spezzava dalla raggia:

«Signor questore, il dottor Arquà mi ha profondamente offeso!».

«Via, Montalbano!».

«Sissignore, profondamente offeso! E lei ne è stato testimone, signor questore! E io la chiamerò a testimoniare! Il dottor Arquà, con la sua richiesta, ha messo in dubbio le mie parole. La pistola è a sua disposizione, ma lui, il dottor Arquà, a sua volta, deve mettersi a mia disposizione».

Arquà si scantò veramenti d'essiri sfidato a duello.

«Ma io non intendevo...» principiò.

«Via, Montalbano...» ripitì Bonetti-Alderighi.

Montalbano stringì i pugni facennosilli addivintari bianchi.

«No, signor questore, mi dispiace. Mi ritengo offeso a morte. Farò tutti i controlli che lei mi ha ordinato. Ma se il dottor Arquà richiederà l'arma del mio ispettore, lei riceverà contestualmente le mie dimissioni. Con tutta la pubblicità che ne conseguirà. Buongiorno».

E prima che Bonetti-Alderighi avissi il tempo di replicare, voltò le spalle ai due, raprì la porta e niscì, congratulannosi con se stesso per la bona arrinisciuta della scena fatta da gran tragediatore. A Hollywood avrebbi fatto sicuramenti carrera. E capace che ci scappava un oscar.

Aviva di bisogno subito d'una conferma. Si misi 'n machina e annò nell'ufficio di Pasquano.

«C'è il dottore?».

«Sì, ma sta...».

«Ci vado io».

La sala indove Pasquano travagliava aviva 'na porta con dù lunotti di vitro.

224

Prima di trasire, taliò. Pasquano si stava lavanno le mano, ma aviva ancora il cammisi 'nsanguliato. Il tavolo supra al quali faciva le autopsie era vacante. Ammuttò la porta. Il dottori lo vitti e si misi a santiare.

«Ma buttanazza della miseria! Macari qua me lo devo vidiri comparire? Si accomodi supra a questo tavolo che la servo subito».

E agguantò 'na speci di sega tagliaossa. Montalbano si tirò narrè d'un passo, con Pasquano era sempre meglio quatelarsi.

«Dottore, o un sì o un no e me ne vado».

«Giura?».

«Giuro. Al morto di Spinoccia avevano fatto la trapanazione del cranio o qualcosa di simile?».

«Sì» disse Pasquano.

«Grazie» fici il commissario.

E sinni scappò. Aviva avuto la conferma che voliva.

«Ah dottori! Ci voliva arriferire che...».

«Poi me lo dici. Mandami subito a Fazio e non mi passare telefonate! Non ci sono per nessuno!».

Fazio arrivò di cursa.

«Che c'è, dottore?».

«Entra, chiudi la porta e assettati».

«Mi dicisse».

«So chi è il morto di Spinoccia».

«Davero?!».

«Gurreri. E so macari chi l'ha ammazzato».

«Chi?».

«Galluzzo».

«Minchia!».

«Esattamente».

«Allora il morto sarebbe Gurreri? E sarebbi uno dei dù che lunedì volivano dari foco alla sò casa».

«Sì».

«Ma ne è sicuro?».

«Certissimo. Il dottor Pasquano mi ha detto che ha trovato le tracce dell'operazione alla testa, quella di tre anni fa».

«Ma a vossia chi gliel o aviva detto che il morto era Gurreri?».

«Non me l'ha detto nisciuno. Ho avuto un'intuizione».

E gli contò l'incontro col questore e con Arquà.

«Questo significa che siamo nella merda, dottore» fu la considerazione finale di Fazio.

«No, ci siamo vicini, ma ancora non ci siamo dintra».

«Ma se il dottor Arquà amminchia a voliri la pistola...».

«Non credo che lo farà, sicuramente il questore gli dirà di lassari perdiri. Ho fatto 'na scenata terribili. Però... Scusa, le armi da aggiustare le mandiamo a Montelusa, vero?».

«Sissi».

«Quella di Galluzzo l'hanno già mandata a riparare?».

«Nonsi, ancora no. Me ne sono accorto per caso stamatina. Volevo consignare 'na pistola, quella dell'agente Ferrara che si è puro inceppata, ma siccome non c'erano né Turturici né Manzella, che sono gli addetti...».

«Quel garruso di Arquà non avrà bisogno di domandarmela l'arma. Siccome ho detto che si è inceppata, controllerà tutte le pistole che arrivano dal nostro commissariato. Dobbiamo assolutamente fotterlo prima che lui fotta noi».

«E come?».

«M'è venuta un'idea. Ce l'hai ancora tu la pistola di Ferrara?».

«Sissi».

«Aspetta che faccio una telefonata».

Sollevò il ricevitore.

«Catarella? Chiamami il signori e guistori e passamelo».

Ebbe subito la comunicazione e misi il vivavoce.

«Mi dica, Montalbano».

«Signor questore, le voglio dire prima di tutto che sono profondamente mortificato per essermi lasciato andare, in sua presenza, a un incontrollato scatto di nervi che...».

«Mi fa piacere che...».

«La volevo anche informare che sto contestualmente inviando al dottor Arquà l'arma in oggetto...».

L'arma in oggetto non era male.

«... per tutti gli accertamenti che egli riterrà opportuno fare. E la prego ancora, signor questore, di volermi perdonare e di accettare le mie più profonde...».

«Accettate, accettate. Sono contento che tra lei e Arquà tutto si sia risolto per il meglio. Arrivederla, Montalbano».

«I miei ossequi, signor questore».

Riattaccò.

«Ma che vuole fare?» spiò Fazio.

«Piglia l'arma di Ferrara, leva due cartucce dal caricatore e ammucciale bene. Ci serviranno appresso. Po' la metti dintra a 'na scatola facenno 'na bella confezione regalo e la porti al dottor Arquà con i miei omaggi».

«E a Ferrara che gli dico? Se non consegna la pistola inceppata non gliene danno un'altra».

«Fatti dare da quelli dell'armeria macari la pistola di Galluzzo dicenno che serve a mia. Trova modo di diri a loro che m'hai data macari l'arma di Ferrara accussì gliene danno una in sostituzione. Se Manzella e Turturici mi dimannano spiegazioni, dirò che voglio portarle io stesso a Montelusa e protestare. L'importante è fari passare tri o quattro jorni».

«E con Galluzzo come ci comportiamo?».

«Se c'è, mandamelo».

Doppo cinco minuti arrivò Galluzzo.

«Mi voleva, dottore?».

«Assettati, assassino».

Quanno ebbi finuto di parlari con Galluzzo, taliò il ralogio e s'addunò che aviva fatto troppo tardo, a quell'ora di certo Enzo il trattore aviva calato la saracinesca.

Allura addecisi di fari ora, senza perdiri cchiù tempo, la mossa che gli restava da fari. Pigliò 'na foto di Gurreri, se la misi 'n sacchetta, niscì, trasì in machina e partì.

Via Nicotera non era 'na via vera e propia, ma chiuttosto un vicolo stritto e longo del piano Lanterna. Il nummaro 38 era 'na casuzza malannata a dù piani col portoni 'nserrato. D'in facci, c'era un nigozio di frutta e virdura, doviva essiri quello di don Minicuzzu, ma, data l'ora, era chiuso. La casuzza si era concessa il lusso di un citofono. Premette il pulsante allato alla targhetta indove ci stava scritto Gurreri. Doppo tanticchia, senza che nisciuno gli aviva spiato chi era, sintì lo scatto del portoni che si rapriva.

Non c'era ascensore, del resto la casa era nica. In ogni piano c'erano dù appartamenti. Gurreri abitava all'ultimo piano. La porta era aperta.

«C'è permesso?».

«Trasisse» fici 'na voci fimminina.

Un'anticàmmara nica nica con dù porte, una che dava nella càmmara di mangiare e una che dava nella càmmara di dormiri. Subito Montalbano sintì il tanfo di una povertà che stringiva il cori. Una fìmmina trentina, malovistuta, spittinata, l'aspittava addritta nella càmmara di mangiare. Doviva essirisi maritata con Gurreri che era picciotta assà e sicuramenti era stata 'na gran beddra picciotta, se ancora, a malgrado di tutto, nella facci e nel corpo restava qualichi cosa della persa billizza.

«Che volite?» spiò.

E Montalbano liggì nei sò occhi lo scanto.

«Sono un commissario, signora Gurreri. Mi chiamo Montalbano».

«Io tutto ci dissi ai carrabbineri».

«Lo so, signora. Perché non ci sediamo?».

S'assittaro. Lei in pizzo alla seggia, tisa, pronta a scappari.

«So che lei è stata chiamata a testimoniare al processo Licco».

«Sissi».

«Ma io non sono venuto da lei per questo».

Di colpo, parse tanticchia sollevata. Ma lo scanto restava in funno ai sò occhi.

«Allura che voli?».

Montalbano si vinni a trovari davanti a un bivio. Non se la sintiva di trattarla con brutalità, gli faciva troppa pena. Ora che l'aviva davanti, era sicuro che quella povira fìmmina era stata convinta a diri d'essiri l'amanti di Licco non per dinaro, ma a forza di botte, di violenze, di minazze.

D'altra parti, con le mezze misure e la gintilizza capace che non ottiniva nenti. Forsi, la meglio era farle aviri uno shock.

«Da quant'è che non vede suo marito?».

«Tri misi, jorno cchiù jorno meno».

«Non ne ha più avuto notizie?».

«Nonsi».

«Non avete figli, vero?».

«Nonsi».

«Conosce a uno che si chiama Ciccio Bellavia?».

Lo scanto le tornò, armalisco, nell'occhi. Montalbano s'addunò che ora lei aviva un liggero trimolizzo nelle mano.

«Sissi».

«È venuto qua?».

«Sissi».

«Quante volte?».

«Dù voti. Sempri cu mè marito».

«Dovrebbe venire con me, signora».

«Ora?».

«Ora».

«Indove?».

«All'obitorio».

«E che è?».

«Dove si portano i morti ammazzati».

«E pirchì?».

«Dovrebbe fare un riconoscimento».

Cavò fora dalla sacchetta la fotografia.

«È suo marito?».

«Sissi. Quanno ce la ficiro? Ma pirchì dovrei viniri?...».

«Perché siamo convinti che Ciccio Bellavia abbia ammazzato a suo marito».

Lei si susì di scatto. Cimiava, col corpo faciva avanti e narrè e si tiniva appuiata al tavolino.

«Mallitto! Mallitto Bellavia! M'aviva giurato che non gli faciva nenti!».

Non potì proseguire. Le gammi le si piegarono e cadì 'n terra sbinuta.

Diciassette

«Guardi che ho pochissimo tempo. E non pigli la cattiva abitudine di venire da me senza appuntamento» disse il pm Giarrizzo.

«Lo so e mi scuso per l'irruzione».

«Ha cinque minuti. Parli».

Montalbano taliò il ralogio.

«Sono venuto per raccontarle la seconda puntata, assai interessante, delle avventure del commissario Martinez».

Giarrizzo lo taliò strammato.

«E chi è Martinez?».

«Se l'è scordato? Non si ricorda dell'ipotetico commissario del quale ipoteticamente mi parlò lei stesso l'altra volta? Quello che si occupava del caso Salinas, l'esattore del pizzo che aveva sparato e ferito a un commerciante eccetera eccetera?».

Giarrizzo, sintennosi tanticchia pigliato per il culo, lo taliò malamente. Po' disse, friddo friddo:

«Ora mi ricordo. Mi dica».

«Salinas dichiarava di avere un alibi, ma non diceva quale. Lei ha scoperto che i suoi difensori avrebbero in aula sostenuto che nell'ora nella quale Alvarez venne…».

«Oddio! Chi è Alvarez?».

«Il commerciante ferito da Salinas. Dunque, i difensori avrebbero sostenuto che Salinas a quell'ora si trovava in casa di una tale Dolores, che era la sua amante. E avrebbero chiamato a testimoniare il marito di Dolores e Dolores stessa. Ma lei mi ha detto che la procura riteneva di poter smontare l'alibi, però non ne ha la certezza. Senonché il commissario Martinez si trova a doversi occupare del caso di un morto ammazzato che scopre essere un tale Pepito, un piccolo delinquente arruolato dalla mafia e che era il marito di Dolores».

«E chi l'ha ammazzato?».

«Martinez suppone che sia stato fatto fuori da un mafioso, tale Bellavia, mi scusi, Sanchez. Da tempo Martinez si va ponendo una domanda: perché Dolores ha fornito l'alibi a Salinas? Sicuramente non ne era l'amante. Allora perché? Per denaro? Perché ha ricevuto una minaccia? Perché l'hanno costretta con la violenza? Gli viene una bella pensata. Va a casa di Dolores, le mostra la foto del marito Pepito assassinato e le dice che è stato Sanchez. A questo punto la donna ha una reazione imprevista che fa capire a Martinez una verità incredibile».

«Cioè?».

«Cioè che Dolores ha agito per amore».

«Di chi?».

«Del marito. Ripeto: sembra incredibile, ma è così. Pepito è un mascalzone, la maltratta, la picchia spesso, ma lei lo ama e sopporta tutto da lui. Sanchez le ha detto, incontrandola da sola, che o fornisce l'alibi a Salinas o ammazzano a Pepito che tengono praticamente sequestrato. Quando Dolores apprende da Martinez che, malgrado lei abbia accettato il ricatto, Pepito è stato ammazzato lo stesso, crolla, decide di vendicarsi e confessa. E questo è tutto».

Taliò il ralogio.

«Ci ho messo quattro minuti e mezzo».

«Sì, ma vede, Montalbano, Dolores ha confessato a un ipotetico commissario che...».

«Ma è disposta a ripetere tutto a un concreto e non ipotetico pm. E questo pm lo vogliamo chiamare col suo nome, cioè Giarrizzo?».

«Allora le cose cambiano. Telefono ai carabinieri» fici Giarrizzo «e li mando...».

«... in cortile» proseguì Montalbano.

Giarrizzo s'imparpagliò.

«Quale cortile?».

«Questo del palazzo di Giustizia. La signora Siragusa, pardon, Dolores, è in una macchina del mio commissariato, scortata dall'ispettore capo Fazio. Martinez non ha voluto lasciarla un momento sola, ora che lei ha parlato teme per la sua vita. La signora ha con sé una valigetta con i suoi pochi effetti personali. A lei, dottor Giarrizzo, è facile capire che quella donna non può più tornare a casa sua, la farebbero fuori subito. Il commissario Martinez si augura che la signora Siragusa, pardon, Dolores, venga protetta come merita. Buongiorno».

234

«Ma dove va?».

«Vado al bar a farmi un panino».

«E accussì Licco è definitivamente fottuto» disse Fazio quanno tornaro in commissariato.

«Già».

«Non è contento?».

«No».

«Perché?».

«Perché sono arrivato alla verità dopo molti, troppi sbagli».

«Quali sbagli?».

«Te ne dico uno solo, va bene? A Gurreri la mafia non l'ha veramente arruolato, come hai detto tu, e come io ho detto a Giarrizzo sapenno che non era vero, ma l'ha tenuto in ostaggio facendogli cridiri d'avirlo arrollato. Era invece costantemente controllato da Ciccio Bellavia che gli diciva quello che doviva fari. E se sò mogliere non testimoniava come volivano loro, l'ammazzavano senza perdiri tempo».

«E questo che cangia?».

«Tutto, Fazio, tutto. Per esempio l'arrubbatina dei cavalli. Non può essere stato Gurreri a idearla, al massimo avrà pigliato parti alla cosa. E quindi viene a cadere l'ipotesi di Lo Duca e cioè che si sia trattato di una vendetta di Gurreri. E meno che mai può essiri stato lui a telefonare alla signora Esterman».

«Forsi è stato Bellavia?».

«Forsi, ma sono pirsuaso che macari Bellavia è un esecutore. E sono certo che delle dù pirsone che mi volivano dari foco alla casa, l'altro, quello che sparò a Galluzzo, era Bellavia».

«E allura darrè a tutto ci sarebbero i Cuffaro?».

«Ora non ho più dubbio. Aviva ragione Augello quanno diciva che Gurreri non aviva 'na testa accussì fina per organizzare un macchiavello di questo tipo e avevi ragione tu quanno sostenevi che i Cuffaro volivano che io al processo mi comportassi in un certo modo. Ma macari loro hanno fatto uno sbaglio. Hanno squietato il cani che dormiva. E il cani, cioè io, si è arrisbigliato e li ha muzzicati».

«Ah dottore, mi scordai a spiarglielo: come la pigliò Galluzzo?».

«Bene, tutto sommato. D'altra parte ha sparato per legittima difesa».

«Mi scusasse, ma vossia ha detto alla Siragusa che ad ammazzarle il marito è stato Bellavia».

«Se è per questo, l'ho detto macari al pm Giarrizzo».

«Sì, ma noi sappiamo che non è stato lui».

«Ti fai di questi scrupoli con un delinquente come Bellavia che sappiamo che ha minimo tri omicidi supra le spalli? Tri e uno quattro».

«Non mi faccio scrupoli, dottore, ma quello dirà che non è stato lui».

«E chi ci crederà?».

«Ma se conta com'è andata veramente la storia? Che è stato uno della polizia a sparare a Gurreri?».

«Allora dovrà dire come e perché. Dovrebbe dire che erano venuti a casa mia con l'intenzione di bruciarla per influenzare il mio comportamento al processo Licco. In altri termini, dovrebbe tirare in ballo i Cuffaro. Gli conviene?».

Mentre sinni tornava a Marinella, la fami l'assugliò, lupigna. In frigorifero c'erano un piatto cupputo di caponatina che profumava l'anima e un piatto di sparaceddri sarbaggi, di quelli amari come il tossico, conditi sulo con oglio e sali. Nel forno c'era 'na scanata di pani di frumento. Conzò il tavolinetto della verandina e se la scialò. La notti era di uno scuro fitto. A poca distanza dalla ripa, c'era 'na varca con la lampara. La taliò e si sintì sollevato, pirchì ora era sicuro che supra a quella varca non c'era nisciuno che lo spiava.

Annò a corcarsi e si misi a leggiri uno dei libri svidisi che si era accattato. Aviva come protagonista un sò collega, il commissario Martin Beck, il cui modo di fari le indagini gli piaciva assà. Quanno lo finì e astutò la luci, erano le quattro del matino.

Di conseguenzia, s'arrisbigliò alle novi, ma sulo pirchì Adelina aviva fatto rumorata in cucina.

«Adelì, me lo porti un cafè?».

«Pronto è, dutturi».

Se lo vippi a picca a picca, gustannosillo, e po' s'addrumò 'na sicaretta. La finì, si susì e annò in bagno. Doppo, vistuto e pronto per nesciri, annò in cucina per vivirisi, come d'abitudine, la secunna tazza.

«Ah, dutturi, mi sugnu sempri scurdata di daricci 'na cosa» disse Adelina.

«Che cosa?».

«Mi la desiro 'n lavanderia quanno annai a ritirari i sò cazuna. Ci la trovarono 'n sacchetta».

Aviva la borsetta pusata supra a 'na seggia. La raprì, pigliò la cosa e la pruì al commissario.

Era un ferro di cavallo.

Mentre il cafè gli s'arrovesciava supra alla cammisa, Montalbano sintì la terra novamenti rapririsi sutta ai sò pedi. Dù volte in vintiquattrore, era francamente troppo!

«Dutturi, che fu? La cammisa s'allordò».

Non potiva rapriri la vucca, continuava a taliare fisso con l'occhi sgriddrati il ferro di cavallo, 'nzallanuto, strammato, 'mparpagliato, sturduto, ammammaloccuto.

«Dutturi, non mi facisse scantare! Che avi?».

«Nenti, nenti» arriniscì ad articolare.

Pigliò un bicchieri, lo inchì d'acqua, se lo vippi d'un colpo.

«Nenti, nenti» arripitì ad Adelina che continuava a taliarlo prioccupata col ferro di cavallo ancora 'n mano.

«Dammelo» disse mentri si livava la cammisa. «E priparami un'altra cafittera».

«Ma non le fa mali tuttu 'stu cafè?».

Non le arrispunnì. Annò caminanno come un sonnambulo nella càmmara di mangiare e, sempri senza lassare il ferro, sollevò con una mano il ricevitore, fici il nummaro del commissariato.

«Pronti! Commis...».

«Catarella, Montalbano sono».

«Che fu, dottori? Avi 'na voci stramma!».

«Senti, stamatina non vengo in ufficio. C'è Fazio?».

«Nonsi, non trovasi in loco».

«Quando viene, digli di chiamarmi».

Annò a raprire la porta-finestra, niscì sulla verandina, s'assittò, posò il ferro supra al tavolino e si misi a taliarlo come se era 'na cosa mai viduta in vita sò. A lento a lento sintiva che la testa gli ripigliava a funzionare.

E la prima cosa che gli tornò a mente furono 'na poco di paroli del dottor Pasquano.

Montalbano, questo è un signo evidente di vicchiaia. Il segno che le sò cellule cerebrali si sfaldano sempre cchiù velocemente. Il primo sintomo è la perdita di memoria, sa? Per esempio, non le è ancora capitato di fare una cosa e un attimo doppo scordarsi d'averla fatta?

Gli era capitato. Eccome, se gli era capitato! Aviva pigliato il ferro di cavallo e se l'era mittuto 'n sacchetta scordannosillo completamente. Ma quanno? Ma indove?

«Ecco il cafè» disse Adelina pusanno supra al tavolino 'na guantera con la cafittera, la tazza e lo zuccaro.

Si vippi 'na tazza bollenti e amara, talianno la spiaggia vacante.

E tutto 'nzemmula supra alla pilaja comparse un cavaddro morto, stinnicchiato supra a un fianco. E vitti a se stesso a panza sutta davanti alla vestia che allungava 'na mano e *toccava un ferro squasi del tutto staccato che pinnuliava tenuto sulo da un chiovo già nisciuto a mità dallo zoccolo...*

E po' che era successo?

Era successo che qualichi cosa... qualichi cosa... Ah! Ecco! Fazio, Gallo e Galluzzo erano comparsi nella verandina e lui si era susuto *'nfilannosi automaticamente il ferro 'n sacchetta.*

Appresso era annato a cangiarsi i cazùna che aviva ghittato nella cesta della robba lorda.

Appresso ancora, si era fatta la doccia, aviva chiacchiariato con Fazio e quanno erano arrivati gli astronauti la carcassa non c'era cchiù. Calma e gesso, Montalbà. Ci voli un'altra tazza di cafè.

Dunque, accomenzamo dal principio. Durante la mattanza, il poviro cavaddro moribunno arrinesci a scappare e currenno alla dispirata supra alla sabbia...

Oddio! Vuoi vidiri che la vera pista di sabbia dell'incubo che aviva avuto era proprio chista? E che lui aviva malamenti 'ntirpritato il sogno?

... arriva sutta alla sò finestra e stramazza morto. Ma quelli che l'hanno ammazzato hanno necessità di farlo scomparire. Allura s'organizzano con un carretto a mano e un furgone, un camioncino, quello che è. Quanno arrivano, doppo qualichi tempo, per pigliare la carcassa, s'addunano che lui si è arrisbigliato, ha visto il cavaddro ed è scinnuto supra la spiaggia. Allura s'ammucciano e aspettano il momento giusto. Che viene quanno lui e Fazio sinni vanno 'n cucina, che non ha finestre dalla parte di mari. Mannano un omo in avanscoperta. L'omo li vidi 'n cucina a chiacchiariari tranquillamente e fa signo di via libera agli altri, mentre continua a tenerli d'occhio. E in un vidiri e svidiri la carcassa scompare. Ma allora...

Ci stava un'altra tazza?

Cafè non ce n'era cchiù nella cafittera, e non ebbi coraggio di diri ad Adelina di fargliene una nova. Si susì, trasì, annò a pigliare la buttiglia di whisky e un bicchieri e fici per tornare nella verandina.

«Di prima matina, dutturi?» lo bloccò la voci rimproverante di Adelina che stava a taliarlo dalla porta della cucina.

Manco stavolta le arrispunnì. Si versò il whisky e accomenzò a viviri.

Ma allura, se quelli stavano a sorvegliarlo mentri taliava da vicino la vestia, sicuramente si erano addunati che aviva pigliato il ferro e se l'era mittuto 'n sacchetta. E questo viniva a significare che...

... che hai sbagliato tutto, ma proprio tutto, Montalbà.

Non volivano condizionare il tuo comportamento al processo Licco, Montalbà. Il processo Licco non ci trase 'na minchia di nenti.

Volivano il ferro di cavallo. Era il ferro che cercavano quanno avivano perquisito la casa. E gli avivano perfino restituito il ralogio per fargli accapire che non era cosa di latri.

Ma pirchì quel ferro aviva tanta 'mportanza?

L'unica risposta logica era questa: pirchì fino a quanno era in posesso sò, rinniva inutile il trafugamento della carcassa.

Ma se per loro era accussì 'mportanti, pirchì doppo il fallito tentativo d'abbrusciamento non ci avivano cchiù riprovato?

241

Semplici semplici, Montalbà. Pirchì Galluzzo aviva sparato a Gurreri e quello era morto. Un contrattempo. Ma sicuramenti sarebbero tornati a presentarsi in un modo o nell'altro.

Allura s'addecise a pigliare novamenti il ferro 'n mano e a esaminarlo. Era un ferro normalissimo, come ne aviva viduti a decine.

Che aviva di tanto 'mportanti che già era costato la vita di un omo?

Isò l'occhi a taliare il mare e un lampo di luci l'abbagliò. No, non c'era nisciuna varca con qualichiduno che lo taliava col binocolo. La luci si era fatta dintra al sò ciriveddro.

Si susì di scatto, currì all'apparecchio, fici il nummaro di Ingrid.

«Bronto? Guì palla?».

«C'è la signora Rachele?».

«Tu sbetta».

«Pronto? Chi parla?».

«Montalbano sono».

«Salvo! Che bella sorpresa! Lo sai che stavo per chiamarti? Avevamo pensato, con Ingrid, d'invitarti stasera a cena».

«Sì, va bene, ma…».

«Dove vuoi che andiamo?».

«Venite da me, vi invito io, dirò ad Adelina di… ma…».

«Che sono tutti questi ma?».

«Dimmi una cosa. Il tuo cavallo…».

«Sì?» fici subito Rachele attentissima.

«I ferri del tuo cavallo avevano qualcosa di particolare?».

«In che senso?».

«Non so, io non ne capisco, lo sai... Nei ferri c'era inciso qualcosa, un segno qualsiasi...».

«Sì. Ma perché lo vuoi sapere?».

«Un'idea balorda. Che segno c'è?».

«Proprio al centro della curvatura, in alto, c'è incisa una piccola doppia V. Me li fa appositamente, a Roma, un fabbro che si chiama...».

«Per i suoi cavalli, Lo Duca si serve dello stesso...».

«Ma quando mai!».

«Peccato!» fici ammostrannosi sdilluso.

E riattaccò. Non voliva che Rachele accomenzasse a fari dimanne. L'ultimo pezzo del puzzle che aviva principiato a formarsi nella sò testa fino dalla sira che era stato a Fiacca era annato al posto giusto e aviva dato un senso a tutto intero il disigno.

Gli vinni di cantare. E chi gliele proibiva? Attaccò «Che gelida manina» a gran voci.

«Dutturi! Dutturi! Ma che ci successi stamatina?» spiò la cammarera precipitannosi dalla cucina.

«Nenti, Adelì. Ah senti, per stasira pripara cose bone. Aiu dù pirsone a cena».

Sonò il telefono. Era Rachele.

«È caduta la linea» disse subito il commissario.

«Senti, a che ora vuoi che veniamo?».

«Vi andrebbe bene alle nove?».

«Benissimo. A stasera».

Riattaccò e il telefono risonò.

«Sono Fazio».

«Ah, no, ho cambiato idea. Sto venendo lì. Aspettami».

Cantò per tutta la strata, oramà quelle note e quelle paroli non gli niscivano cchiù dalla testa. E al punto indove non se l'arricordava cchiù, ripigliava daccapo.

«Se la lasci riscaldaare…».

Arrivò, parcheggiò, passò davanti a Catarella che s'affatò a vucca aperta sintennolo cantari.

«Cercar che giova…».

«Catarè, dì a Fazio di viniri subito da mia».

«Se al buio non si troova…».

Trasì nella sò càmmara, s'assittò, s'appuiò allo schienale.

«Ma per fortunaaa…».

«Che fu, dottore?»

«Fazio, chiudi la porta e assettati».

Cavò dalla sacchetta il ferro di cavallo e lo posò supra alla scrivania.

«Talialo bene».

«Lo posso pigliare in mano?».

«Sì».

Mentri Fazio osservava il ferro, continuò a canticchiare a voci vascia.

«È una notte di luuuna…».

Fazio lo taliò interrogativo.

«È un comunissimo ferro».

«Appunto, per questo hanno fatto le umane e divine cose per averlo, sono trasuti in casa mia, hanno tentato d'abbrusciari la casa, Gurreri ci ha lassato la peddri…».

Fazio sgriddrò l'occhi.

«Era per questo ferro che?…».

«Sissignore».

«L'aviva vossia?».

«Sissignore. E me l'ero scordato completamente».

«Ma è un ferro senza nisciuna particolarità!».

«Appunto questa è la sua particolarità: di non averne nessuna».

«Ma che viene a significari?».

«Viene a significari che il cavaddro ammazzato non era quello di Rachele Esterman».

E ripigliò a voci vascia:

«Vivo in poovertà mia lieta…».

Diciotto

Mimì Augello arrivò tardo e il commissario dovitti ripetiri a lui quello che aviva già contato a Fazio.

«Tutto sommato» fu l'unico commento di Augello «il ferro di cavallo ti ha portato fortuna. Ti ha fatto capire come stavano le cose».

Doppo, Montalbano espose ai dù la pinsata che gli era vinuta: fabbricare uno sfunnapiedi complesso, un saltafosso, che però doviva funzionare a orologeria. Se funzionava, avrebbero fatto 'na rizzagliata piena di pisci.

«Siete d'accordo?».

«D'accordissimo» disse Mimì.

Fazio parse però tanticchia dubitoso.

«Dottore, la cosa deve succedere per forza in commissariato e supra a questo non c'è dubbio. Però in commissariato c'è macari Catarella».

«Embè?».

«Dottore, Catarella è capace di mannare a futtiri tutto. Capace che porta Prestia da me e Lo Duca da lei. Vossia capisce che con lui pedi pedi…».

«Va bene, fallo venire qua. Lo mando in missione segreta. Tu fai le telefonate che devi fare e poi torni. Macari tu, Mimì, organizzati».

I dù niscero e doppo un milionesimo di secunno Catarella arrivò di cursa.

«Catarè, entra, chiudi la porta a chiave e assettati».

Catarella eseguì.

«Stammi a sintiri bene pirchì ti devo affidari un compito dilicatissimo che nessuno deve sapere. Non ne devi fari parola».

Catarella, emozionato, accomenzò ad agitarisi supra la seggia.

«Devi andare a Marinella e ti devi appostare in una casa in costruzione che c'è darrè a quella dove abito io, ma dall'altra parte della strata».

«Accanoscio il loco dell'allocalità, dottori. E doppo che appostato mi fui che fazzo?».

«Ti porti un foglio di carta e 'na biro. Piglia nota di tutti quelli che passano supra alla pilaja davanti alla mè casa, e scrivi se sunno masculi, fìmmine, picciliddri... Quanno fa scuro, torna in commissariato con la lista. Non ti fari vidiri da nisciuno! È cosa segretissima assà! Vacci ora stisso».

Sutta al piso di quella enormi responsabilità e commosso fino alle lagrime per la fiducia che il commissario gli dava, Catarella si susì, russo come un gallinaccio, senza arrinisciri a parlari, fici il saluto militari sbattenno i tacchi, faticò a girari la chiave nella toppa e a rapriri la porta, ma finalmenti arriniscì a nisciri.

«Fatto tutto» disse Fazio trasenno doppo tanticchia. «Michilino Prestia veni alle quattro e Lo Duca alle quattro e mezza spaccate. E questo è l'indirizzo di Bellavia».

Gli pruì un pizzino che Montalbano si misi 'n sacchetta.

«Ora vado a diri a Gallo e a Galluzzo quello che devono fari» secutò Fazio. «Il dottor Augello m'ha detto di farle sapere che è tutto a posto e che alle quattro sarà pronto nel parcheggio».

«Bene. Allura sai che ti dico? Che me ne vado a mangiare».

Spilluzzicò tanticchia d'antipasti, non volle la pasta, si mangiò sforzannosi dù àiole. Aviva la vucca dello stomaco che pariva stritta da un pugno. E gli era passata la gana di cantari. Di colpo, l'aviva pigliato la prioccupazione per la facenna del doppopranzo. Avrebbi funzionato tutto?

«Dottore, oggi non mi dette soddisfazione».

«Scusami, Enzo, ma non è jornata».

Taliò il ralogio. Aviva appena il tempo di una passiata fino al faro, ma senza assittatina supra allo scoglio.

Al posto di Catarella c'era l'agente Lavaccara, un picciotto sperto.

«Sai quello che devi fare?».

«Sissignore, Fazio me l'ha spiegato».

Trasì nella sò càmmara, raprì la finestra, si fumò 'na sicaretta, richiuì la finestra, tornò ad assittarisi e in quel momento tuppiarono alla porta. Erano le quattro e deci.

«Avanti!».

Comparse Lavaccara.

«Dottore, c'è il signor Prestia».

«Fallo entrare».

«Buongiorno, commissario» fici Prestia trasenno.

Mentri Lavaccara richiuiva la porta e tornava al posto sò, Montalbano si susì, gli pruì la mano.

«S'accomodi. Mi dispiace sinceramente di averla disturbata, ma sa come vanno certe cose…».

Michele Prestia era un ultracinquantino, bono vistuto, con l'occhiali d'oro e con l'ariata di un onesto ragiuneri. Pariva calmissimo.

«Può avere cinque minuti di pazienza?».

Doviva pigliare tempo. Fici finta di continuare a leggiri un documento, ora facenno 'na risateddra ora aggruttanno le sopracciglia. Po' lo misi da parte e taliò a longo a Prestia senza parlari. Fazio aviva ditto che Prestia era un quaquaraquà, un pupo di pezza nelle mano di Bellavia. Però doviva aviri nerbi boni. Alla fine il commissario s'addecise.

«Abbiamo ricevuto una denunzia contro di lei da parte di sua moglie».

Prestia strammò. Sbattì le ciglia. Forsi, avenno il carboni vagnato, si aspittava qualichi cosa d'altro. Raprì e chiuì la vucca prima di potiri finalmenti parlari.

«Mè mogliere?! Mi ha denunziato?!».

«Ci ha scritto una lunga lettera».

«Mè mogliere?!».

Non arrinisciva a ripigliarisi dallo sbalordimento.

«E di cosa m'accusa?».

«Maltrattamenti continuati».

«Io?! Io l'avrei…».

«Signor Prestia, le consiglio di non continuare a negare».

«Ma cose da pazzi! Mi sento pigliato dai turchi! Posso vidiri la littra?».

«No. L'abbiamo già inviata al pm».

«Guardi, commissario, che qui c'è sicuramente uno sbaglio. Io…».

«Lei è Prestia Michele?».

«Sì».

«Di anni 55?».

«Nonsi, 53».

Montalbano, come pigliato da un dubbio 'mproviso, si fici viniri le rughe sulla fronti.

«Ne è sicuro?»

«Sicurissimo!».

«Mah! Lei abita in via Lincoln 47?».

«No, io abito in via Abate Meli 32».

«Davero?! Mi può mostrare un suo documento, per favore?».

Prestia pigliò il portafoglio e gli pruì la carta d'identità che Montalbano studiò a longo accuratamente. Ogni tanto isava l'occhi, taliava a Prestia e po' li riabbassava supra al documento.

«Mi pare chiaro che…» principiò Prestia.

«Non è chiaro niente. Mi scusi. Torno subito».

Si susì, niscì dalla càmmara, chiuì la porta, annò da Lavaccara. Nello sgabuzzino c'era macari Galluzzo che l'aspittava.

«È arrivato?».

«Sissi. L'ho accompagnato ora ora da Fazio» disse Lavaccara.

«Galluzzo, vieni con mia».

Tornò nella sò càmmara, seguito da Galluzzo, facenno la facci mortificata. Lassò la porta aperta.

«Sono spiacentissimo, signor Prestia. Si tratta di un caso di omonimia. Mi scuso per il disturbo che le ho arrecato. Vada con l'ispettore Galluzzo che le farà firmare la liberatoria. Buongiorno».

Gli pruì la mano. Prestia murmuriò qualichi cosa e niscì, preceduto da Galluzzo. Montalbano si sintì addivintari 'na statua, quello era il momento critico. Prestia fici dù passi nel corridoio e si vinni a trovari facci a facci con Lo Duca che a sua volta stava niscenno dalla càmmara di Fazio, seguito da Fazio stisso. Montalbano vitti i dù fermarsi per un momento, apparalizzati. Galluzzo ebbi un'alzata d'ingegno e fici con voci da sbirro:

«Allora, Prestia! Ci muoviamo o no?».

Prestia ripigliò a caminare. Fazio ammuttò a leggio a Lo Duca che era restato 'ntordonuto. Il meccanismo stava funzionanno alla perfezione.

«Dottore, c'è il signor Lo Duca» disse Fazio.

«Prego, prego. E tu, Fazio, resta pure. Si accomodi, signor Lo Duca».

Lo Duca s'assittò. Era giarno 'n facci e si vidiva che ancora non si era arripigliato dall'aviri visto nesciri a Prestia dall'ufficio del commissario.

«Non so perché lei con tanta urgenza...» attaccò.

«Glielo dirò tra un attimo. Ma prima devo domandarle ufficialmente: signor Lo Duca, vuole un avvocato?».

«No! Che bisogno ho d'avvocati?».

«Come vuole lei. Signor Lo Duca, l'ho convocata perché devo farle alcune domande in merito al furto dei cavalli».

Lo Duca fici un sorriseddro tirato.

«Ah, per quello? Faccia pure».

«La sera che ci siamo parlati, a Fiacca, lei mi ha detto che il furto dei cavalli e l'uccisione di quello che si presumeva essere stato il cavallo della signora Esterman, era una vendetta di tale Gerlando Gurreri che lei anni prima aveva colpito con una spranga rendendolo invalido. Per questo il cavallo della signora era stato ammazzato a sprangate. Una specie di legge del contrappasso, se ricordo bene».

«Sì… mi pare d'aver detto così».

«Benissimo. Chi glielo disse, a lei, che per ammazzare il cavallo avevano usato spranghe di ferro?».

Lo Duca s'ammostrò disorientato.

«Ma… la signora Esterman, mi pare… o forse qualcun altro. Comunque, che importanza ha?».

«È importante, signor Lo Duca. Perché io alla signora Esterman non dissi come era stato ammazzato il suo cavallo. E non poteva saperlo nessun altro, l'avevo detto a una sola persona che però non è in rapporti con lei».

«Ma è una cosa così secondaria che…».

«… che mi ha fatto venire il primo sospetto. Lei, lo riconosco, è stato abilissimo, quella sera. Ha giocato di fino. Non solo mi ha fatto il nome di Gurreri, ma ha espresso persino il dubbio che il cavallo ammazzato fosse quello della signora Esterman».

«Senta, commissario...».

«Stia a sentire me, invece. Un secondo sospetto mi è venuto quando ho saputo dalla signora Esterman che era stato lei a insistere per ospitare il cavallo nella sua scuderia».

«Ma era un atto di elementare cortesia!».

«Signor Lo Duca, prima che lei prosegua, la devo avvertire che ho appena avuto un lungo e fruttuoso colloquio con Michele Prestia. Il quale, in cambio di una certa, diciamo così, benevolenza nei suoi confronti, mi ha fornito preziose informazioni sul furto dei cavalli».

Toccato! Centro! Lo Duca aggiarniò di cchiù, principiò a sudari, s'agitò sulla seggia. Aviva visto coi sò occhi a Prestia doppo che aviva parlato col commissario e l'aviva sintuto trattare sgarbato da un agente. Quindi cridì alla farfantaria. Ma tintò lo stisso d'addifinnirisi.

«Io non so cosa quell'individuo possa...».

«Mi lasci andare avanti. Sa? Ho finalmente trovato quello che cercava».

«Io? E che cercavo?».

«Questo» disse Montalbano.

Misi 'na mano 'n sacchetta, cavò il ferro di cavaddro, lo posò supra allo scrittoio. Fu il colpo di grazia. Lo Duca variò talmente che rischiò di cadiri dalla seggia. Dalla vucca aperta gli colò un filo di vava. Aviva accapito d'essiri finito.

«Questo è un comunissimo ferro di cavallo, senza contrassegni particolari. L'ho tolto io dalla zampa del cavallo morto. I ferri del cavallo della signora Esterman erano invece segnati da una doppia V. Chi poteva sapere questo particolare? Non certo Prestia o Bellavia o il povero Gurreri, ma lei sì, lei lo sapeva. E avverte i suoi complici. E allora, oltre alla carcassa, bisognava assolutamente recuperare anche il ferro che avevo preso io, perché attraverso quel ferro si poteva provare che il cavallo ammazzato non era quello della signora, come volevate far credere a tutti, ma il suo che, tra l'altro, era molto malato, destinato a morire e ad essere abbattuto. Poco fa Prestia mi ha spiegato che un cavallo come quello della signora Esterman farà guadagnare miliardi agli organizzatori delle corse clandestine. Lei sicuramente non l'ha fatto per soldi. E allora perché? La ricattavano?».

Lo Duca, che non potiva cchiù parlari ed era assammarato di sudori, calò la testa facenno 'nzinga di sì. Po' pigliò tutto il sciato che potiva e disse:

«Volevano un mio cavallo per le corse clandestine e siccome io mi rifiutavo... m'hanno fatto vedere una fotografia... sono con un ragazzino».

«Basta così, signor Lo Duca. Proseguo io. Allora, visto che il cavallo della signora Esterman somigliava molto a uno dei suoi, destinato a morire in breve, lei ha pensato al finto furto e alla feroce uccisione del suo cavallo per connotarla come una vendetta. Ma con che cuore ha potuto farlo?».

Lo Duca si cummigliò la facci con le mano. Grosse lagrime colarono attraverso le sò dita.

«Ero disperato... Me ne sono fuggito a Roma per non...».

«Bene» disse Montalbano. «Mi ascolti. È finita. Le faccio una sola domanda e poi è libero».

«Libero?!».

«Non sono io l'incaricato delle indagini. Lei ha fatto la denunzia alla questura di Montelusa, no? Quindi io m'affido alla sua coscienza. Agisca come meglio crede. Ma ascolti il mio consiglio: vada a dire tutto ai miei colleghi di Montelusa. Cercheranno di mettere a tacere la storia della fotografia, ne sono sicuro. Se non lo fa, lei si consegnerà mani e piedi ai Cuffaro che la spremeranno come un limone e poi la getteranno via. Ora la domanda è questa: lei sa dove Prestia tiene nascosto il cavallo della signora Esterman?».

Quella dimanna, Montalbano lo sapiva benissimo, era il punto debole di tutto quello che aviva architettato. Se Prestia aviva parlato, avrebbi dovuto macari dirgli indove tiniva ammucciato il cavaddro. Ma Lo Duca era troppo sconvolto, troppo annichiluto per notare quanto era stramma la dimanna.

«Sì» disse.

Fazio dovitti aiutare a Lo Duca a susirisi dalla seggia, lo dovitti sorreggere a caminare fino al posteggio.

«Ma se la sente di guidare?».

«S... ì».

Lo vitti partiri che a momenti annava a sbattiri contro un'altra machina e tornò nella càmmara del commissario.

«Che dice, ci andrà in questura?».

«Credo di sì. Chiama ad Augello e passamelo».

Mimì arrispunnì subito.

«Stai seguendo Prestia?».

«Sì. Si sta dirigenno verso Siliana».

«Mimì, abbiamo saputo che tiene ammucciato il cavaddro proprio quattro chilometri doppo Siliana, in una staddra 'n campagna. Sicuramenti ci avrà lassato qualichiduno a guardia. Quanti òmini ti seguono?».

«Quattro con una jeep e dù con un camioncino».

«Stai 'n campana, Mimì. E qualsiasi cosa, telefona a Fazio».

Riattaccò.

«La machina con Gallo e Galluzzo è pronta?».

«Sissi».

«Allura tu resta qua, nel mio ufficio. Avverti Lavaccara che ti passi tutte le telefonate. Facciamo capo a te. Ripetimi l'indirizzo che non lo trovo».

«Via Crispi 10. È un ufficio a pianoterra con dù càmmare. Nella prima ci sta il guardaspalle. Lui, quanno non è in giro ad ammazzare qualichiduno, sta sempre lì, nella secunna càmmara».

«Gallo, intendiamoci bene. E guarda che stavolta te lo dico sul serio. Non voglio né sirene né rumorate di gomme. Dobbiamo pigliarlo di sorpresa. E fermati non davanti al 10, ma tanticchia prima».

«Ma vossia non viene con noi?».

«No, vi seguo con la mè machina».

Ci misiro 'na decina di minuti ad arrivari. Montalbano parcheggiò darrè alla machina di servizio e scinnì. Galluzzo gli si fici incontro.

«Dottore, Fazio mi detti l'ordine di fargli pigliare la pistola».

«La sto piglianno».

Raprì il cassetto del cruscotto, affirrò l'arma e se la misi in sacchetta.

«Gallo, tu rimani nella prima càmmara e teni d'occhio il guardaspalle. Tu, Galluzzo, trasi con mia nella secunna càmmara. Non ci sono uscite di darrè, quindi non può scappare. Io entro per primo. E mi raccumanno: il meno scarmazzo possibile».

Nella strata, che era corta, c'erano parcheggiate 'na decina di machine. Non c'erano negozi. Un omo e un cani erano l'unici essiri viventi a vista.

Montalbano trasì. Un trentino, assittato darrè a 'na scrivania, liggiva un giornali sportivo. Isò l'occhi, vitti a Montalbano, l'arriconobbe, si susì di scatto raprennosi la giacchetta con la mano dritta per pigliari il revorbaro che tiniva 'nfilato nella cintura dei cazùna.

«Non fare minchiate» disse Gallo a voci vascia puntannolo.

L'omo posò la mano supra la scrivania. Montalbano e Galluzzo si taliarono, po' il commissario girò la maniglia della porta della secunna càmmara e la raprì, trasenno seguito da Galluzzo.

«Ah!» fici il cinquantino calvo, in maniche di cammisa, facci trubbola, occhi a taglio di lametta, posanno il ricevitore del telefono che tiniva 'n mano. Non si era mostrato per niente ammaravigliato.

«Il commissario Montalbano sono».

«L'accanoscio benissimo, commissario. E a lui, non

me lo presenta?» fici ironico l'omo con l'occhi fissi supra a Galluzzo. «Aiu la 'mprissioni che con questo signore ci siamo già visti».

«Lei è Francesco Bellavia?».

«Sì».

«La dichiaro in arresto. E l'avverto che qualsiasi cosa dirà in sua difesa, non sarà creduto».

«Non è chista la formula giusta» fici Bellavia e si misi a ridiri.

Po' si calmò e disse:

«Tranquillo, Galluzzo, non dirò che fui io ad ammazzari a Gurreri, ma non dirò manco che sei stato tu. Allura pirchì mi voliti arristari?».

«Per il furto di due cavalli».

Bellavia ripigliò a ridiri cchiù forti.

«E figurati lo scanto che mi fate! E che provi aviti?».

«Lo Duca e Prestia hanno confessato» disse Montalbano.

«Bella coppia! Uno che va coi picciotteddri e l'altro che è 'na mezza quasetta!».

Si susì, pruì i polsi a Galluzzo:

«Dai, ammanettami tu, accussì la farsa è completa!».

Galluzzo, senza taliarlo nell'occhi che l'altro gli tiniva puntati supra, gli misi le manette.

«Dove lo portiamo?».

«Dal pm Tommaseo. Mentre voi andate a Montelusa, io l'avverto del vostro arrivo».

Tornò in commissariato. Trasì nella sò càmmara.

«Ci sono novità?».

«Ancora nenti. E lei?».

«Abbiamo arrestato a Bellavia. Non ha fatto resistenza. Vado a telefonare a Tommaseo dalla càmmara di Mimì».

Il pm era ancora in ufficio. Protestò pirchì il commissario non gli aviva ditto nenti di nenti.

«Dottor Tommaseo, è tutto avvenuto in poche ore, non c'è stato assolutamente tempo di...».

«E con quale accusa l'ha arrestato?».

«Il furto di due cavalli».

«Beh, per un personaggio come Bellavia è proprio una misera accusa».

«Dottor Tommaseo, sa come si dice dalle mie parti? Che ogni cacatina di mosca fa sostanza. E poi sono certo che è stato lui ad ammazzare Gurreri. Se se lo lavora bene, ma badi che è un duro, qualcosa finirà per ammetterla».

Tornò nel sò ufficio e attrovò Fazio al telefono.

«Sì... sì... Va bene. Riferisco subito al dottore».

Posò il ricevitore e disse al commissario:

«Il dottor Augello m'ha detto che hanno visto trasire a Prestia dintra a 'na casa che allato ha una staddra. Ma siccome davanti alla casa ci sono ferme quattro machine, oltre a quella di Prestia, il dottor Augello pensa che ci sia 'na riunione. Siccome voli evitare sparatine, dice che è meglio aspittari che gli altri sinni vanno».

«E fa bene».

Passò un'orata abbunnanti senza che arrivasse nisciuna telefonata. Si vidi che la riunione era longa. Montalbano non arresistì.

«Chiama a Mimì e spiagli che succede».

Fazio parlò con Augello.

«Dice che ancora stanno riuniti e che dintra alla casa ci sono minimo otto pirsone. Conviene aspittari ancora».

Montalbano taliò il ralogio e satò addritta. Erano già le otto e mezza.

«Senti, Fazio, io devo assolutamente andare a Marinella. Appena hai notizie, telefonami».

Arrivò di cursa, raprì la porta-finestra, conzò la tavola supra la verandina.

Aviva appena finuto, che sonarono alla porta. Annò a rapriri. Erano Ingrid e Rachele carricate di tri buttiglie di vino, dù di whisky e un pacco.

«È una cassata» spiegò Ingrid.

Dunque avivano 'ntinzioni serie. Montalbano annò in cucina a stappari le buttiglie e sintì sonare il telefono. Di certo era Fazio.

«Rispondete voi» disse.

Sintì la voci di Rachele che faciva:

«Pronto?».

E po':

«Sì, è la casa del commissario Montalbano. Ma chi parla?».

'Mproviso, gli vinni un dubbio che l'aggelò. Si precipitò nella càmmara di mangiare. Rachele aviva appena posato il ricevitore.

«Chi era?».

«Non me l'ha detto. Ha riattaccato. Una donna».

Non sprufunnò suttaterra come le altre volte, ma sintì che il soffitto della càmmara gli cadiva 'n testa. A telefonari era stata sicuramente Livia! E ora come faciva a spiegarle che era 'na cosa 'nnuccenti? Mallitto il momento che gli era vinuto 'n testa d'invitarle! Previde 'na nuttata amara, passata al telefono. Tornò ammaraggiato 'n cucina e il telefono sonò novamenti.

«Vado io! Vado io!» gridò.

Stavolta era Fazio.

«Dottore? Tutto fatto. Il dottor Augello ha arrestato a Prestia e lo sta portando dal pm. Hanno recuperato il cavallo della signora Esterman. Pare in ottime condizioni. L'hanno messo nel furgone».

«Dove lo portano?».

«Nella stalla di un amico del dottor Augello. Il dottor Augello ha macari avvertito i colleghi di Montelusa».

«Grazie, Fazio. Abbiamo fatto veramente un buon travaglio».

«È lei che è stato bravo».

Annò alla verandina. S'appuiò alla porta-finestra e fici alle dù fìmmine:

«Dopo che abbiamo cenato, vi racconterò una cosa».

Non voliva arrovinarisi la mangiata che l'aspittava con la gran camurria di abbrazzamenti, lagrime, commozioni, ringraziamenti.

«Andiamo a vedere cosa ci ha preparato Adelina» disse.

Nota

Come per tutti i romanzi che hanno quale protagonista il commissario Montalbano, anche questo mi è stato suggerito da due fatti di cronaca: un cavallo rinvenuto ammazzato sopra una spiaggia catanese e il furto di alcuni cavalli da corsa da una scuderia del grossetano.

Credo ormai sia inutile ripetere, ma lo faccio lo stesso, che i nomi dei personaggi e le situazioni nelle quali si vengono a trovare sono di mia totale invenzione e non hanno perciò attinenza con persone realmente esistenti.

Se qualcuno per caso vi si riconoscesse, significa che è dotato di una fantasia superiore alla mia.

A. C.

Indice

La pista di sabbia

Questo volume è stato stampato
su carta Palatina
delle Cartiere Miliani di Fabriano
nel mese di maggio 2007
presso la Leva Arti Grafiche s.p.a. - Sesto S. Giovanni (MI)
e confezionato
presso I.G.F. s.r.l. - Aldeno (TN)

La memoria